LISE BOURBEAU

ÉCOUTE TON CORPS

TON PLUS GRAND AMI
SUR LA TERRE

ÉDITIONS "E.T.C..."

© 1987 Lise Bourbeau
Tous droits réservés
Dépôt légal :
Bibliothèque Nationale du Québec
Bibliothèque Nationale du Canada
Deuxième trimestre 1987
ISBN: 2-920932-00-4
Quatrième édition
Édition revisée juin 1988
Publié par :
Les Éditions E.T.C. Enr.
9675 rue Papineau, suite 380
Montréal, Canada
H2B 1Z5

REMERCIEMENTS

Je remercie, du plus profond de mon coeur, tous ceux qui m'ont fait assez confiance pour m'encourager à écrire ce livre.

Un merci particulier à tous ceux/celles qui m'ont aidée à le réaliser : Denise Trépanier, Pierre Nadeau, Odette Pelletier, Liza Klimusko, Danielle Turcotte et Lise Fauteux.

Un autre merci à tous les lecteurs de ce livre qui veulent bien s'en servir pour propager *l'amour* partout sur la terre.

Je dédie tout particulièrement ce livre à mes parents, frères et soeurs qui, les premiers, m'ont enseigné l'amour en m'acceptant toujours telle que je suis.

PRÉFACE

Ce livre, que tu tiens entre tes mains, a été écrit spécialement pour toi. Inconsciemment, tu as posé un geste qui transformera ta qualité de vie.

Quelle que soit la raison pour laquelle tu as ouvert ce livre, sois assuré qu'à travers ses pages, je me ferai ta grande amie. Et je serai toujours là, maintenant que tu m'as choisie.

Je me suis permis de te tutoyer afin de me sentir plus près de toi. Et, comme une amie, mon plus profond désir est de vouloir t'aider. Je tenterai d'apporter une réponse à tes questions, de te guider et de te faire découvrir toute la richesse qu'il y a en toi.

Toutefois, je ne peux rien accomplir sans ta participation. Si tu comptes lire ce livre pour ensuite en garnir ta bibliothèque, c'est que tu renonces à vouloir t'aider toi-même. Ta décision, c'est maintenant que tu dois la prendre.

Ma méthode est simple. Il suffit de lire chaque chapitre attentivement et d'appliquer dans ta vie, et au besoin, la matière reçue. Après chaque chapitre, tu auras quelques exercices à faire. Si tu suis les directives telles qu'elles te sont présentées, tu accompliras beaucoup pour toi-même.

Le contenu de ce livre est le fruit de recherches, d'études et d'observations personnelles effectuées depuis les dix-neuf dernières années. J'ai moi-même expérimenté toutes les notions mentionnées dans ce livre. Le bonheur procuré fut tellement grand, qu'il m'a convaincue d'enseigner les grandes lois de la vie pour ensuite en faire un livre.

Jusqu'à maintenant, des milliers de personnes ont transformé leur vie en apprenant à se découvrir et elles ressentent de plus en plus cette paix intérieure que l'on croit bien souvent inaccessible.

Je te souhaite un bon séjour à l'intérieur de toi-même. Prends le temps qu'il faut, ne saute aucune étape et toi aussi tu feras de nombreuses découvertes.

Lise Bourbeau

Lise Bourbeau
(février 1987)

TABLE DES MATIÈRES

1er PARTIE:

LES GRANDES LOIS DE LA VIE

CHAPITRE 1
LE BUT PRIMORDIAL DE L'ÊTRE HUMAIN

T'es-tu déjà arrêté à te demander ce que tu fais ici sur terre? Quel est ton but en tant qu'être humain? Combien de personnes l'ignorent!

La réponse est pourtant simple. Nous avons tous le même but. Celui d'ÉVOLUER.

Tout ce qui s'appelle VIE doit grandir. Regarde un peu autour de toi. Lorsqu'une fleur ou un arbre cesse de grandir, c'est qu'il meurt. Cela va de même pour l'être humain. Tout être humain doit grandir et aller de l'avant dans son évolution. Grandir pour l'humain signifie "grandir intérieurement". C'est ton âme qui grandit tout au long de ta vie et non pas ton corps physique.

Mais comment parvient-on à grandir? *JÉSUS* nous l'a enseigné et nous l'a transmis très simplement en affirmant que les deux principales vérités de l'être humain sont d'*AIMER* et d'avoir la *FOI*. Il ne semble n'y avoir rien de si compliqué en soit mais tant que l'être humain se bornera à se créer des problèmes de toutes sortes, l'incompréhension de ces deux lois demeurera.

On dit que lorsque l'être humain a appris à s'aimer lui-même et les autres de façon totale, il aurait maîtrisé la matière, et son existence sur terre ne serait plus nécessaire.

On doit considérer la terre comme une entité par elle-même, c'est-à-dire une âme, une personne. Elle a aussi comme responsabilité d'évoluer.

Chaque être humain est considéré comme une cellule de la terre tout comme ton corps a des billions de cellules. Si chacune de tes cellules est en santé, tu auras un corps en santé avec lequel il te sera agréable de vivre. Il en va de même pour la terre.

C'est à chaque être humain que revient la tâche de se purifier, de se maintenir en santé physique, mentale et émotionnelle. Ainsi, l'harmonie régnera entre tous et la terre deviendra un lieu prospère.

Tu es ici sur terre pour veiller à ta propre évolution et non à celle des autres. Il est inutile d'utiliser toutes tes énergies à vouloir juger, diriger et mener les autres. Tu es sur terre uniquement pour toi.

Tout au long du livre, il y aura des implications, des moyens, des outils qui te permettront de devenir ***MAÎTRE*** de ta vie. À mesure que tu développeras cette grande foi et ce grand amour en toi, tu dégageras une telle énergie que tes réactions face à ton environnement et celles de ton environnement face à toi en seront complètement transformées.

La terre ou la société est aussi forte que son plus faible individu tout comme une chaîne est aussi forte que son plus faible maillon.

Plusieurs affirment qu'on retrouve beaucoup d'évolution sur terre, que la terre dans son ensemble évolue. Pourtant il s'agit de regarder tout autour pour prouver le contraire. Les pharmacies, hôpitaux, prisons et asiles se multiplient; les gens sont de plus en plus malades; ils ont de réels problèmes physiques; les médias d'information (télévision, radio, journaux, cinéma) nous révèlent quotidiennement des atrocités . . . Est-ce là le reflet de l'évolution? L'être humain a raison d'être insatisfait.

Et cette insatisfaction, tu la vis peut-être présentement. C'est sans doute la raison pour laquelle tu lis ce livre. Tu sais qu'il y a un certain vide en toi que tu cherches constamment à combler. Mais cherches-tu au bon endroit? Il ne s'agit pas de regarder autour de toi mais plutôt en toi. Ton grand ami est là. Il est divin. C'est ton ***DIEU*** intérieur qui est là juste pour toi, pour te guider, pour te venir en aide.

J'espère que d'ici la fin de ce livre, tu le découvriras vraiment et que tu ressentiras ses manifestations à travers tout ce que tu feras. Et à ce moment, tu sauras désormais qu'avec son éternelle puissance, tu pourras accomplir tout ce que tu veux dans ta vie.

Mais tu te demandes sûrement: ''Comment se fait-il que ce soit à la fois si simple et si inaccessible. Tout en sachant que l'être humain peut tout faire, pourquoi y a-t-il si peu de gens qui le réalisent?''

Tu as raison. À l'heure actuelle sur la terre, il y a environ 5% de gens qui sont complètement maîtres de leur vie... Mais garde espoir car on commence à s'éveiller. On s'interroge de plus en plus et on veut aller plus loin car on est maintenant conscient qu'il existe autre chose. C'est l'ère de la spiritualité. Cependant il n'est pas facile pour l'être humain d'aller en profondeur. D'une part, c'est que son orgueil est très grand et que d'autre part, il éprouve de la peur... La peur de découvrir un monstre à l'intérieur de lui-même!

D'où vient cette peur? Peut-être de l'éducation reçue ou d'ailleurs, d'une vie antérieure même. Mais peu importe. Laisse le passé derrière toi. Le passé est révolu; on ne peut le changer. Le moment le plus précieux au monde est l'instant que tu vis présentement. Et le futur ne dépend que de toi, de ce que tu penses maintenant.

Si tu en es à tes débuts en ce qui a trait à la croissance personnelle, j'aimerais te prévenir que tu expérimenteras un certain bouleversement. Il est possible que tu aies l'impression que toutes les fondations de ton être bougent, que tout va s'écrouler. Mais ne t'inquiète pas. Ce n'est qu'une illusion. Cet ébranlement est la preuve qu'il se passe des choses dans ton for intérieur et que tu as décidé de tout nettoyer.

Qu'il s'agisse d'être alerte à tes pensées, de prendre des cours, de suivre des conférences ou de lire des livres, tu fais de la croissance personnelle et par la même occasion, tu te purifies. Et pour te purifier davantage, *tu dois répéter des actions. En répétant ces actions, tu accentues d'autant plus ta purification.* Je vais prendre l'exemple d'un verre d'eau sale dans lequel tu y verses très très lentement de l'eau claire, de l'eau pure. Éventuellement en continuant par ce procédé, l'eau se purifie et tu obtiens un beau verre d'eau pure. C'est ce qui se produit en toi lorsque tu fais de la croissance personnelle. Il se peut que tes problèmes te semblent plus nombreux, que tu te sentes bousculé, mais ce n'est qu'une illusion; dis-toi que tes efforts soutenus seront grandement récompensés.

L'être humain croît de la même façon que tout ce qui existe sur la terre. Un arbre prend racine grâce à une petite graine enfouie dans le sol. Cette graine vit dans la noirceur, l'humidité, le froid, et se retrouve entourée d'une multitude de formes vivantes souterraines. Malgré tout et malgré elle, sans qu'elle ne sache pourquoi, elle est irrésistiblement attirée par le soleil, par la lumière. Elle ne s'enfouit pas davantage dans le sol. Au contraire elle monte, se libère de son écorce, traverse la couche terrestre pour aller vers la lumière. Aussitôt qu'elle atteint cette lumière, elle se met à grandir pour devenir un grand arbre.

C'est la même chose pour l'être humain. Il y a des humains sur terre qui sont encore au niveau de la noirceur. Ils ignorent qu'il existe autre chose. Ils ne voient pas. Qu'on leur parle de lumière, qu'on leur montre la lumière, pour eux il n'y a rien de tel qui existe.

Par contre l'être humain qui décide de faire sa croissance personnelle est rendu au niveau de sortie de la terre. Il commence à voir la lumière. Il se dirige vers elle. Plus il monte, plus il sent sa chaleur et plus il montera, plus il sera réchauffé et éclairé.

Comme toute personne qui fait de la croissance personnelle, tu vivras des moments difficiles. Quand on est rempli d'orgueil, il n'est pas aisé d'admettre que d'autres personnes aient raison. Il est difficile de reconnaître que d'autres aient peut-être la réponse! On voudrait trop souvent les changer pour se donner raison. C'est une épreuve à passer. Et ça vaut la peine. Plus on arrive à maîtriser cet orgueil, plus on maîtrise les situations extérieures. Cet effort te fera monter vers la lumière, vers ton bonheur.

La croissance personnelle est comparable à une plaie sur le corps. Pour accélérer la guérison d'une plaie, on applique un médicament (tel le peroxyde) qui provoque généralement une douleur encore plus pénible que la douleur de la plaie elle-même. Ce mal est là pour la guérison de la plaie. On sait que quelques minutes plus tard la cicatrisation aura déjà commencé. La même chose se produit quand on s'achemine vers l'intérieur de soi, lorsque l'on s'engage à croître, à se purifier, à se découvrir. La douleur est réelle mais il n'en résultera que du bien.

Si tu éprouves du mal, c'est un signe que tu résistes. Tu hésites à t'abandonner. Si tu me dis que tu n'as pas les relations que tu veux, que tu n'as pas tout l'amour que tu veux ni tout l'argent que tu penses avoir besoin, je te répondrai comme suit: "S'il y a tant de choses qui ne vont pas dans ta vie, qu'as-tu à perdre?" Alors, cesse de résister et abandonne-toi. Dis-toi que tu as tout à gagner à essayer quelque chose de nouveau. Ton évolution s'en ressentira et ton mal sera beaucoup moins douleureux. C'est toujours chez ceux qui résistent qu'il y a le plus de souffrance. Plus tu résistes, plus le mal persiste. Plus tu résistes à quelque chose, plus la même situation se répète.

Il est certain que la résistance est plus prononcée chez les gens dont le caractère est plus fort. Ils auront à travailler doublement. Mais ce qui importe présentement, c'est toi. Continue ta route; persévère, réalise de petites victoires quotidiennement et graduellement, tu arriveras à provoquer tout ce que tu veux dans ta vie.

Le mot *DIEU* sera souvent mentionné dans ce livre ainsi que quelques passages de l'enseignement de *JÉSUS* mais rassure-toi, ce n'est pas un *livre sur la religion*. Il n'y a qu'une seule religion dans le monde entier: *celle de l'amour de soi et de son prochain, d'accepter les gens tels qu'ils sont*. Tu ne peux renier *DIEU* car tu es une de *SES* manifestations comme tout ce qui existe sur la terre.

Pour arriver à maîtriser ta vie, tu dois devenir plus conscient. Le niveau de conscience humaine est tellement faible que la plupart du temps l'être humain ne sait pas vraiment ce qu'il dit, fait ou pense; il le fait machinalement. Combien de fois par jour t'est-il arrivé de te poser des questions avant d'agir ou de parler. Il est grand temps de devenir plus conscient.

Tout ce que tu perçois par tes sens, tout ce que tu vois avec tes yeux, tout ce que tu entends avec tes oreilles n'est qu'une illusion. La réalité, c'est ce qui se passe dans le monde invisible. Avant que ce soit visible, tout doit passer par le plan invisible. Il n'y a rien sur terre qui existe avant d'avoir été imaginé, pensé ou rêvé. C'est le grand pouvoir de l'être humain.

Les entités du plan minéral (les roches), du plan végétal (plantes et arbres) et du plan animal ne peuvent créer. La seule entité sur la terre qui peut créer, c'est l'être humain. Il a atteint un degré de conscience plus élevé que les trois autres règnes : c'est-à-dire qu'il est conscient de **DIEU**, d'où il vient et où il va. Il doit se rendre au cinquième règne, qui est le règne divin.

Quand on dit que l'homme a été créé à l'image de **DIEU**, c'est ce que ça veut dire. **DIEU** a créé la terre et tout ce qui existe dans le cosmos. Étant une manifestation de **DIEU**, tu es **DIEU** en dedans de toi, donc tu peux accomplir autant que **LUI**. *Tu peux créer tout ce que tu veux dans ce monde.* Pourquoi ne l'as-tu pas fait jusqu'à maintenant? Parce que tu n'y croyais pas. C'est la grande erreur de l'être humain de ne pas accepter cette puissance.

À mesure que tu fais des actes de foi, que tu commences à réaliser des choses extraordinaires, tu comprends ce que tout cela veut dire. Tu saisis également le sens de ce qui suit : *l'être humain devient ce qu'il pense.*

La pensée est une image que l'on envoie dans le monde invisible. En créant cette image, en la nourrissant de ta puissance, *tu* lui donnes vie. Cette pensée s'alimente de tes sentiments et de tes émotions. Et finalement, *tu* la rends visible sur le plan physique. Le cosmos a ses lois. Et en suivant ces étapes, tu peux faire arriver ce que tu veux. Tu commences par le plan mental, ensuite le plan émotionnel puis le plan physique. Mais avant de t'y engager, tu dois devenir conscient *car 90% du temps, tu ignores ce que tu penses.* Tes pensées sont tellement inconscientes, que tu provoques des tas de choses que tu ne désires pas ou qui te sont désagréables. De plus, tu ne résoudras rien en mettant la faute sur les autres. Ils n'y sont pour rien. Le seul responsable de ce qui t'arrive, *c'est toi.*

En acceptant l'idée que tu as matérialisé ces choses par toi-même, bonnes ou mauvaises, et que tu possèdes une grande puissance, n'est-il pas merveilleux de réaliser que tu peux utiliser ton énergie pour te faire arriver seulement des choses agréables?

Ce serait vraiment décourageant de penser que tout ce qui t'arrive est causé par une influence extérieure. Si tu es malheureux et que tu crois que les autres en sont responsables, tu devras patienter jusqu'à ce qu'ils changent d'idée pour devenir heureux! Et si tu es malade et que tu mettes la faute sur les autres (hérédité, température, etc.), tu devras patienter à nouveau et attendre que tout ce qui est à l'extérieur change pour que tu puisses te rétablir. Vas-tu attendre longtemps comme ça? Ne serait-il pas mieux de créer toi-même ta vie?

Penses-y ça ne prend qu'une minute pour visualiser du bonheur! Ton corps s'en ressent aussitôt. Ça ne prend aussi qu'une minute à jouer le "pauvre moi, personne ne m'aime", et ton bonheur s'est volatilisé dès le début de cette pensée. Ça ne prend qu'un instant pour cesser de rire, pour critiquer ou pour aimer. Tu vois d'un instant à l'autre, c'est toi qui changes ta vie. Tu crées ta vie selon ce que tu décides de voir par tes yeux physiques alors que tu devrais essayer de voir par tes yeux intérieurs. Cherche la beauté derrière la laideur, l'amour derrière la critique. Tu auras fait un pas vers l'apprentissage. Évoluer, c'est devenir un être spirituel. *Être spirituel, c'est voir l'amour (DIEU) partout.*

Arrête-toi quelques instants; va un peu à l'intérieur de toi et vois quelles sont tes pensées les plus fréquentes dans une journée. T'arrive-t-il souvent de dire "mon mal de tête", "mon mal de dos", "mon problème"? Tu vois tu y portes tellement d'attention, tu y mets tellement d'énergie, que tes maux persistent. *On devient ce qu'on pense!*.

En compagnie d'amis ou de gens que tu aimes, de quoi parles-tu? Évoques-tu tes problèmes ou tentes-tu d'y trouver une solution? Et que fais-tu de tes loisirs? T'attardes-tu à des émissions de télévision constructives, celles qui t'enrichissent, ou bien choisis-tu des films qui te font vivre des moments d'angoisse ou d'envie? Dis-toi que la vie à l'écran fausse la réalité. Et que lis-tu? Des articles qui aident ou enrichissent ta conscience ou lis-tu de mauvaises nouvelles? *Tu deviens tout ce que tu laisses pénétrer dans ton conscient et ton subconscient.*

Tu n'es pas sur terre pour vivre dans la richesse ou la pauvreté, la popularité ou l'anonymat, le travail ou le chômage. Tu es sur la terre pour "être", c'est-à-dire pour développer ton individualité, ton *"moi supérieur"*.

La plupart des gens sont préoccupés par leur personnalité. La personnalité c'est ce qu'on voit, c'est ce qu'on perçoit de l'extérieur d'une personne. On doit se défaire de cette personnalité pour en arriver à notre individualité.

Voici l'un des exercices dont il est fait mention dans l'introduction. Tu en retrouveras un à la fin de tous les chapitres subséquents. Si tu veux vraiment t'aider, je te conseille fortement d'y porter une attention particulière.

Prends une feuille, écris tout ce que tu te souviens avoir fait depuis une semaine :

1° Les choses que tu es conscient avoir fait, ce que tu as fait pour toi et ce qui a pu t'aider à te sentir bien, à te faire connaître un certain bonheur.

2° Les choses que tu as faites pour les autres en mentionnant si tu l'as fait volontairement ou encore ce qui te motivait à le faire.

3° Nomme toutes les personnes que tu as critiquées ou jugées pendant la semaine, celles qui ont fait ou dit des choses qui ne te plaisaient pas et dont tu aurais préféré qu'elles disent ou fassent autrement. Ce peut être des situations que tu as critiquées en parole ou en pensée.

4° Écris tout ce dont tu te souviens.

Il t'est maintenant fortement suggéré de dire l'affirmation suivante à tout moment où tu seras seul avec tes pensées et jusqu'à ce que tu te sentes prêt pour le deuxième chapitre.

> **JE SUIS UNE MANIFESTATION DE DIEU, JE SUIS DIEU, JE PEUX DONC CRÉER CE QUE JE DÉSIRE ET ATTEINDRE UNE GRANDE PAIX ET UNE GRANDE FORCE INTÉRIEURE.**

CHAPITRE 2
CONSCIENT / SUBCONSCIENT / SUPERCONSCIENT

Maintenant que tu as terminé l'exercice du Chapitre 1, je suis convaincue qu'en faisant ce premier examen de conscience, tu as pu découvrir certaines choses sur toi-même.

Tu as sûrement réalisé et ce à plusieurs reprises que tu as fait des choses sans en être conscient et qu'au cours d'une même journée, tu n'as pu te rappeler de tes actes, paroles ou pensées. Tu as sans doute accompli des choses pour d'autres personnes sans te demander si ça te plaisait vraiment. Ne t'en fais pas.

Dans le monde entier en moyenne, l'être humain est 90% inconscient et 10% conscient de ce qu'il fait, dit et pense. Surprenant, n'est-ce pas? Ce qui veut dire que tu emploies 90% de ton temps dans la journée à agir, parler et penser machinalement. Nous allons tenter ensemble de modifier ton état d'inconscience car il est primordial d'être conscient de ce que tu penses, fais ou dis pour provoquer ce que tu désires.

La partie de toi que l'on nomme ''inconscience'' est située au niveau du plexus solaire entre le nombril et la région du coeur. On l'appelle également ''subconscient''. Il agit sur tes émotions qui à leur tour influencent ta façon d'être et ta façon d'agir.

Le subconscient peut enregistrer jusqu'à 10,000 messages par jour pour une personne active vivant dans une grande ville. Ton subconscient, c'est comme un ordinateur dans ton corps. Il enregistre tout ce qui se passe dans ta vie. Depuis ta conception, c'est-à-dire neuf mois avant ta naissance, tout ce qui a été dit, vu, entendu et perçu par tes sens a été enregistré.

Voici un exemple de ce que ton subconscient peut accomplir:

lorsque tu es en route vers ton travail, il capte tous les panneaux de signalisation, de publicité, les passants, les noms de rues, les couleurs, les sons... enfin tout ce dont tu vois et entends. C'est ton subconscient qui effectue ce travail car ton degré de conscience n'est pas encore assez élevé pour tout accepter. Ce serait trop pour ta conscience. Le subconscient est là pour venir à la rescousse afin de te garder sain d'esprit!

Le subconscient est une partie de toi qui ne raisonne pas. Il accepte tout comme un ordinateur accepte les données. Cela va de même pour une calculatrice: si tu lui commandes de solutionner l'équation 3×4 alors que ton intention était de lui donner 4×4, elle te répondra 12 inévitablement car elle ne peut deviner tes erreurs. Elle accepte les commandes telles qu'elles lui sont données. Ton subconscient fait la même chose. Il enregistre tout ce qui le pénètre et te fait agir en conséquence. Il a beaucoup d'influence sur ta façon d'être, d'agir et de penser. Combien de fois es-tu passé devant le même panneau publicitaire annonçant une nouvelle marque de cigarette et que sans t'en rendre compte, tu as adoptée par la suite! Tu t'es laissé hypnotiser. Ton subconscient a capté le message et tout à coup le goût d'essayer une nouvelle sorte de cigarette s'est manifesté. Sur la terre il y a des tas d'hypnotiseurs de ce genre: la télévision en est le plus grand.

Les gens ne réalisent pas tout ce qu'ils captent et combien de choses ils font suite à ces messages. C'est pourquoi il est important pour toi de faire attention à ce que tu laisses pénétrer dans ton subconscient. Il est un serviteur pour toi. Il ne connaît ni bien ni mal. Il ne différencie pas ce qui t'est bénéfique de ce qui ne l'est pas. Il te donne les résultats de ce que tu lui transmets.

Alors si tu entretiens continuellement de la peur ou si tu es entouré de gens qui ne parlent que de peur ou de choses négatives, tu réagiras de même. Tes pensées négatives sont enregistrées par ton subconscient. Lui te les retourne. Te voilà aux prises avec de nouvelles pensées négatives. Ton subconscient capte à nouveau ces pensées et te les renvoie... c'est un cercle vicieux.

Tu peux même te remplir de doutes et d'inquiétudes en ayant une radio ouverte soit dans l'auto ou à la maison, même si tu ne l'écoutais pas tout en vaquant à ton travail lorsqu'elle diffuse de mauvaises nouvelles, même si tu n'en faisais pas du tout attention.

Ton subconscient travaille toujours sur le dernier message que tu lui donnes. Voici un exemple : supposons que ton subconscient est représenté par un chauffeur de taxi et que ta pensée est le passager. Tu demandes au chauffeur de te conduire au 8662 rue Papineau. Il se dirige vers l'adresse mentionnée. Il fera tout pour concrétiser l'ordre donné. Mais tu réalises quelques minutes plus tard qu'une erreur s'est glissée quant à l'adresse. Le nom de la rue est St-Denis et non Papineau. Le chauffeur change de route afin de se rendre à la nouvelle destination. Tout comme le chauffeur de taxi, le subconscient exécute le message reçu.

Cet exemple est pour te faire comprendre que si tu passes ta vie à changer ta façon de penser, ton subconscient deviendra confus et ne saura plus quoi ou qui écouter, tout comme le chauffeur de taxi qui après dix changements d'adresses s'impatientera et s'exclamera : "Écoutez, faites-vous une idée! À quel endroit voulez-vous aller?". C'est exactement ce qui se produit avec ton subconscient. Toutefois en lui transmettant le même message, régulièrement il te fera arriver des situations, des rencontres, des événements qui te guideront vers la concrétisation de tes désirs.

Autre exemple : Tu as décidé de déménager l'an prochain dans une belle maison située au bord de l'eau. Bien. Tu te mets à penser à cette maison : tu l'imagines, tu la visualises. Il est important que tu saches que ton subconscient est beaucoup plus efficace et comprend plus rapidement avec des images. Alors imagine-la et penses-y continuellement à tous les jours. C'est assuré que l'an prochain tu l'obtiendras. Comment? Avec quel argent? Ce n'est pas important.

C'est comme pour ton chauffeur de taxi. Donne-lui une adresse; ne change pas d'idée; assieds-toi dans l'auto et laisse-toi conduire où tu veux. Tu y seras. Quelle que soit la route empruntée et quelle que soit la raison de son choix, le chauffeur te conduira là où tu voulais. Fais de même pour ton subconscient. Donne-lui un ordre, laisse-toi guider et attends qu'il t'amène où tu veux.

L'important est de se souvenir de ne pas changer d'idée. Ne te laisse pas influencer par l'opinion des autres. Aussitôt que tu révèles tes intentions, les réactions extérieures s'acharnent sur toi: "Comment parviendras-tu à obtenir une maison de la sorte?", "Crois-tu obtenir assez d'argent?". Des doutes prennent naissance et tu commences à réfléchir: "Je suis peut-être trop vite;" "je devrais peut-être attendre une autre année". Et voilà! En changeant d'idée, tu viens de changer l'ordre donné à ton subconscient. Il enregistre ta dernière pensée: celle de ne pas vouloir de maison. Par contre le lendemain, tu te mets à repenser à tous les plans et tu réalises que tu désires vraiment cette maison; ton subconscient reprend à nouveau son travail.

L'être humain change d'idée continuellement. C'est une maîtrise à acquérir que de se concentrer et à apprendre. Ton subconscient ne peut raisonner, ne connaît ni le bien ni le mal; il est une grande force en toi, alors pourquoi ne pas l'utiliser en ta faveur? Chaque être humain a son conscient, son subconscient et son superconscient. Il n'en tient qu'à toi d'en faire ce que tu veux.

Commence dès maintenant à visualiser comment tu voudrais être dans ta vie. Voudrais-tu avoir de l'amour autour de toi? Voudrais-tu t'entendre mieux avec tes enfants? Voudrais-tu obtenir l'emploi dont tu as toujours rêvé? Ton subconscient peut tout faire arriver pour toi. À toi de t'en servir. Si tu n'aimes pas ton travail, assieds-toi et visualise que tu annonces une nouvelle fantastique à tes amis. Visualise-toi en train d'annoncer ceci: "Je viens de trouver un travail extraordinaire; c'est fantastique, je n'aurais jamais pensé en trouver un pareil". Sens-le en toi!

Si tu penses consciemment avec ton raisonnement et que tu donnes l'ordre à ton subconscient que tu aimerais une telle sorte de travail avec tel salaire, tel genre de patron, à tel endroit... tu viens de minimiser tes chances. Ça devient beaucoup plus difficile. Lorsque tu veux avoir quelque chose de précis, c'est comme si tu disais à ton chauffeur de taxi quelles rues prendre. Il est fort probable que le parcours soit plus long et que ça te coûte deux fois plus cher.

CONSCIENT/SUBCONSCIENT/SUPERCONSCIENT

Il s'agit tout simplement de faire confiance à ton subconscient qui est relié à ta superconscience qui elle possède de très grands pouvoirs. Tu dis à ton subconscient exactement ce que tu veux comme produit fini et non les détails pour y arriver.

Tu désires un conjoint? Inutile de demander la grandeur, la couleur des yeux, le métier, s'il ronfle ou s'il porte un dentier... Encore là, tu limites tes chances. Il y en aura un sur plusieurs milliers qui répondra au type de personne désirée. Tu devrais plutôt te visualiser avec une personne sans vraiment la voir en détail. Désire-la fantastique, celle avec qui tu as beaucoup à apprendre, qui va bien avec toi. Tu rencontreras peut-être un type de personne auquel tu n'aurais jamais pensé par toi-même et qui est vraiment ce dont tu as besoin.

Une théorie dit que dans une grande ville telle que Montréal par exemple, il y a pour chacun au moins 3,500 personnes du sexe opposé qui peuvent être compatibles avec soi. Alors tu n'as vraiment pas à t'inquiéter...

Il est également très important de ne pas oublier le côté de toi que l'on appelle superconscience qui est située en dedans de toi. Ta superconscience est une partie de toi-même qui est reliée à ton côté divin. C'est la partie de toi qui connaît toutes tes vies antérieures et futures. C'est ton **DIEU** qui sait exactement quelle route tu dois suivre pour arriver à ta perfection, pour atteindre ta perfection divine.

Alors lorsque tu demandes, désires ou penses avoir un besoin réel et que tu en donnes l'ordre à ton subconscient, il est important de lui dire de consulter ta superconscience afin de savoir si ce que tu veux est bel et bien bénéfique pour toi. Si ça ne l'est pas, tu recevras un message afin de te le faire savoir pour que tu en arrives à désirer autre chose.

La maison au bord de l'eau n'est peut-être pas ce qui t'est le plus bénéfique. Il existe peut-être autre chose beaucoup mieux pour toi. Au cours du mois suivant ta demande, il t'arrivera sans doute autre chose qui te fera réaliser ce que tu veux vraiment. Ton changement sera radical : ''C'est ça que je veux et non pas la maison''. Par ce qui t'est présenté, tu comprendras et réaliseras que tu as eu ton message.

C'est tellement rassurant de savoir qu'il y a en toi cette grande force extraordinaire reliée directement à la grande puissance universelle, au cosmos entier, à la superconscience de chacun d'entre nous sur la terre tout comme chacune des cellules du corps humain sont reliées entre elles.

Cette partie de la superconscience est toujours là, vingt-quatre heures par jour pour te guider et te soutenir. Ce serait une bonne idée de lui donner un nom. Lorsque tu apprendras à te parler, à parler à ta superconscience, tu auras l'impression de t'adresser à un grand ami. Le choix de son nom est laissé à ta discrétion. Toutefois je suggère souvent aux gens de trouver un mot qui ne peut être confondu avec un autre ou encore qui n'est relié à aucun souvenir. Je suggère "ROUMA" qui est l'envers du mot "AMOUR". Parle-lui. Tu as maintenant quelqu'un à qui te confier.

Tu t'apercevras que tu n'es plus jamais seul. Cette grande puissance enfouie en toi sait exactement ce qui t'est bénéfique. Et si tu penses, dis ou fais quelque chose à l'encontre de cette grande puissance intérieure, ta superconscience va s'assurer de t'envoyer un message à travers ton subconscient. Ce message te fera prendre conscience qu'il y a quelque chose que tu fais présentement qui n'est pas bénéfique pour toi.

Tu vois comme c'est merveilleux! Tu es ton propre thérapeute. Tu peux mener ta vie à ta guise et pour chaque mauvais pas on t'enverra des signaux. Tu n'as plus à t'inquiéter, à penser et repenser, à tout analyser avant de prendre une décision. Ta grande puissance intérieure, ton **DIEU**, est là toujours là pour le faire à ta place. C'est un moyen fantastique de laisser de côté notre tête et d'accepter qu'il y a en soi quelqu'un qui nous guide toujours dans nos décisions.

Voici différents messages que ta superconscience peut t'envoyer pour t'avertir que présentement il y a quelque chose qui n'est pas vraiment bénéfique pour toi: les émotions qui prennent le dessus, les malaises, les maladies, le manque d'énergie, les problèmes de poids, les accidents, le goût de prendre de l'alcool ou des drogues, dormir trop ou pas assez, manger trop ou pas assez, etc.

Tu as reçu des milliers de messages depuis ta naissance. Et comme tu ne pouvais les décoder, tu attribuais tes malaises ou tes angoisses à quelque chose qui venait de l'extérieur. C'est la raison pour laquelle les gens sont toujours en réaction dans leur vie personnelle; c'est qu'ils cherchent au mauvais endroit.

Qu'il t'arrive un accident, un malaise ou une émotion, plutôt que de te mettre en colère, accepte la situation et remercie *ROUMA* pour le message. Te révolter ne fera qu'aggraver la situation. Essaie de comprendre ce que *ROUMA* tente de te faire saisir. Ça te libérera; ça t'aidera à être en harmonie avec toi-même et obtenir une plus grande paix intérieure.

Tu sais que tu as été créé à l'image de *DIEU* c'est-à-dire *parfait*. Mais chaque fois qu'il t'arrive quelque chose qui n'est pas selon la loi de la perfection, c'est ton *DIEU intérieur* qui le fait arriver pour t'indiquer que tu n'es pas sur la bonne route c'est-à-dire celle de *L'AMOUR*.

DIEU nous a donné le libre arbitre c'est-à-dire que nous sommes libres de faire nos erreurs, de vivre nos expériences comme bon nous semble. C'est également pour cette raison qu'il nous arrive autant de désagréments.

DIEU t'aime tel un parent pour son fils. Si ce dernier veut partir de la maison à un très jeune âge et veut vivre ses expériences, trop souvent les parents s'y opposent et se bornent à évoquer leurs expériences vécues à leur âge. Lorsqu'il y a amour véritable, ce grand amour qu'ils ont pour lui les convaincra de le laisser partir à l'aventure pour lui laisser vivre *ses* propres expériences.

C'est exactement ce que *DIEU* fait avec toi. *IL* est toujours là présent à l'intérieur de toi. Il voit tout ce qui se passe mais te laisse libre de choisir ce que tu veux ou ne veux pas. Si tu agis à l'encontre de *Ses* grandes lois naturelles, *DIEU* t'enverra un message par ta superconscience et ce sans attendre. C'est à toi d'en faire ce que tu veux.

À partir d'aujourd'hui je sais que tu veux devenir beaucoup plus conscient et que tu veux apprendre à maîtriser ta vie. Il s'agit donc de comprendre les messages et à faire quelque chose pour *toi*.

Avant de passer au chapitre suivant, prends une feuille et écris tout ce que tu peux te souvenir qui te soit arrivé grâce à la puissance de ton subconscient. Tu ignorais sûrement que c'était ainsi que tu provoquais les choses dans ta vie. Essaie de te souvenir de différentes choses, qu'elles soient agréables ou non agréables.

Tu peux avoir eu peur qu'il t'arrive une telle chose et ça t'est arrivé. Tu peux avoir désiré ardemment une autre chose et tu l'as obtenue. Sans t'en rendre compte tu programmais ton subconscient. Écris tout ce que tu as fait arriver que tu puisses te souvenir. Dès lors tu commenceras à prendre conscience de la force que tu as toujours eue tout en ignorant que tu la possédais.

Maintenant tu vas visualiser, imaginer quelque chose que tu voudrais voir arriver dans ta vie ou dans les jours qui suivent. Ce peut être une très petite chose, rien de bien compliqué. Pense à ce qui te tient à coeur et désire-le pour toi dans les jours qui suivent. Prends chaque moment de la journée pour y penser, le visualiser, le voir comme si c'était déjà arrivé. Fais ce test avec toi-même et tu réaliseras comment tu peux te faire arriver ce que tu veux.

Il est bien important que tu saches que le subconscient ne comprend ni le passé ni le futur. Si tu lui dis: "Un jour j'aurai telle chose", il ne saisira pas. Il ne comprend que l'image du déjà accompli: "J'ai ou je". Il faut te voir avec la chose que tu désires.

D'ici à ce que tu passes au prochain chapitre, voici l'affirmation que tu as à faire et ce le plus souvent possible, à tous les jours:

JE CONSIDÈRE MAINTENANT MON CORPS COMME MON PLUS GRAND AMI ET GUIDE SUR LA TERRE ET JE RÉAPPRENDS À LE RESPECTER, L'ACCEPTER ET À L'AIMER COMME IL SE DOIT.

Tu peux relire ce même chapitre tant et aussi longtemps que tu n'auras pas fait arriver la chose que tu désires.

CHAPITRE 3
L'ENGAGEMENT ET LA RESPONSABILITÉ

Il est bien important de faire la différence entre l'engagement et la responsabilité. Le dictionnaire définit le mot *"responsabilité"* comme étant une obligation morale de subir les conséquences de nos choix.

Tu es sûrement d'accord avec moi qu'à plusieurs occasions nous subissons les conséquences des choix des autres. Si quelqu'un de notre entourage se sent malheureux pour quelque raison que ce soit, on se sent coupable; on veut faire quelque chose pour l'aider et l'on tente de changer son être. Ceci ne caractérise pas la responsabilité de l'être humain. *Notre "seule" responsabilité sur cette terre est notre propre évolution c'est-à-dire de faire des choix, de prendre des décisions et d'en accepter les conséquences.*

Tu es responsable de ta vie depuis ta naissance. Cela peut te sembler invraisemblable mais c'est toi qui as choisi tes parents, ton milieu familial et même ton pays. C'est peut-être difficile à accepter mais ça fait partie des notions de responsabilité.

Tant qu'il te restera un petit doute quant à ta responsabilité, tu ne pourras changer les événements dans ta vie. Tu dois accepter et comprendre que tu es complètement responsable de ta vie. Si tu n'aimes pas les conséquences de tes décisions, tu n'as qu'à changer tes choix et ultimement, tes décisions. Il n'y a que toi qui puisses créer ta vie. Ta grande responsabilité, c'est toi-même. Aussi l'acceptation que les autres sont responsables de "leur" vie va de soi.

Le plus beau cadeau qu'un parent puisse faire à ses enfants est de leur enseigner la notion de "responsabilité". Par exemple : si un enfant décide un beau matin de ne pas aller à l'école parce qu'il n'en a pas le goût et qu'il incite sa mère à lui écrire un billet attestant qu'il

est malade, il prend une décision sans vouloir en subir les conséquences. Dans un tel cas la mère devrait écrire sur le papier : "Par
paresse, mon fils ne veut pas aller à l'école". L'enfant sera forcé-
ment de mauvaise humeur. La mère n'a qu'à répondre : "C'est toi
qui as pris cette décision, pourquoi devrais-je mentir? Pourquoi
devrais-je dire des choses qui me mettent mal à l'aise? Fais face à
tes décisions et subis-en les conséquences!".

Le tout jeune enfant veut aller jouer dehors sans trop s'habiller.
La mère, étant consciente du froid à l'extérieur, lui propose de
s'habiller plus chaudement. L'enfant répond que non, qu'il n'a pas
le goût de s'habiller davantage. Il n'y a qu'à le laisser faire. Qu'il
aille dehors ainsi habillé. C'est son corps, c'est lui qui décide. Si
la mère insiste sur le fait qu'il attrapera froid, l'enfant pensera à la
maladie et inévitablement aura un rhume ou une grippe. Toutefois
si la mère accepte son entière responsabilité et lui dit : "Si tu penses ne pas avoir froid d'accord mais si tu as froid, reviens vite t'habiller". L'enfant devient complètement différent. S'il reste dehors par
choix, il ne sera pas malade car il ne pensera pas à la maladie. Quand
il s'apercevra qu'il fait vraiment froid, il reviendra et demandera
un vêtement supplémentaire. Combien de fois l'enfant agit ainsi
dans le but de défier les parents!

Que de parents se plaignent d'avoir raté leur vie! Pourquoi? Parce
que leurs enfants n'ont pas fait d'études ou sont devenus voleurs
et sont allés en prison ou encore se droguent. Ces parents ont toutes les raisons du monde d'être malheureux : ils prennent la responsabilité des décisions et des choix de quelqu'un d'autre. C'est vraiment aller à l'encontre des grandes lois naturelles.

Aussitôt que nous agissons contre ces lois, nous provoquons des
réactions se manifestant par des malaises, des maladies et des émotions. De grandes lois ont été établies pour gérer la terre. Ce sont
les lois physiques, cosmiques, psychiques et spirituelles. Si une personne décide de boire un verre de poison qui selon elle a toute
l'apparence d'un verre d'eau et qu'elle choisit tout de même de le
boire, cette personne aura une réaction violente dans son corps car
elle a enfreint la loi physique.

L'ENGAGEMENT ET LA RESPONSABILITÉ

La grande loi de la responsabilité fait partie de la loi d'amour. C'est une grande loi spirituelle qui touche l'âme au plus profond de son être. Chaque être humain est responsable sur la terre de lui-même, de son "être" et de son "avoir". On sait que de se sentir responsable du bonheur ou du malheur des autres entraîne un sentiment de culpabilité. Si tu te vois à travers ces lignes, si tu es cette personne hypersensible qui se croit responsable de tout ce qui arrive aux autres, tu sais combien cet état te rend inconfortable. De plus en agissant ainsi, tu développes des attentes envers les autres. Quand on fait de nos pieds et de nos mains pour les autres, on s'attend à ce que les autres fassent de même pour nous. S'ils choisissent d'agir autrement c'est le grand désappointement, la colère, la frustration.

Les parents que tu as choisis ont quelque chose à t'apprendre. Et tant que tu n'acceptes pas cette notion, tu ouvres la porte à une quantité de situations déplaisantes. Si tu as des enfants, c'est que tu les a choisis, consciemment ou non, non pas pour mener leur vie mais pour les guider et apprendre à travers eux. Chaque rencontre, chaque situation est là pour t'apporter quelque chose : elle te permet d'évoluer.

Si tu es un parent, il est bien important d'enseigner à tes enfants et ce le plus tôt possible qu'ils sont responsables de leurs choix. Si ton enfant t'annonce qu'il abandonne ses études parce qu'il n'en a plus le goût et qu'il n'apprend plus rien à l'école, je te suggère de lui répondre : "Bon, sais-tu ce qui peut arriver si tu abandonnes l'école? Es-tu prêt à accepter que tu auras à travailler où tu peux et pas nécessairement où tu désires car tu es sans diplôme? Es-tu prêt à y faire face?" S'il te répondait affirmativement et que c'était vraiment son choix personnel, il est préférable de le laisser faire et le laisser ainsi vivre ses expériences. Sinon il fera tout ce qu'il peut pour te défier afin de te faire réagir.

Si tu es un parent avec de jeunes enfants ou si tu prévois l'être, tu t'inquiètes sûrement quelque peu face aux propos de cette notion de responsabilité en supposant que chacun est responsable de lui-même. Tu seras tenté de me répliquer par ceci : "C'est bien beau cette notion de responsabilité mais je ne peux laisser mes enfants à eux-mêmes, j'en suis responsable''.

Ta seule responsabilité en tant que parent, c'est de les aimer et de les guider. Rappelle-toi un peu lorsque tu étais enfant. Tu n'avais sans doute pas tous les jouets que tu voulais, tous les ''avoir'' que tu désirais mais si tu savais que tes parents t'aimaient profondément et que tu vivais dans un milieu d'amour chez toi, n'est-ce pas que tu pensais que c'était ce qu'il y avait de plus important pour toi? Tout ce que veut chaque être humain sur la terre, c'est *de vivre l'amour*. C'est ce que tous et chacun aspirent en ce bas monde.

Au prochain chapitre je définirai ce qu'est vraiment l'amour. Avoir pris la décision d'avoir un enfant implique nécessairement un engagement tout comme c'est un engagement que de vivre avec quelqu'un d'autre.

Il n'y a pas un être humain qui a été placé sur la terre pour être responsable du bonheur ou du malheur d'un autre être humain. Tu n'es pas responsable du bonheur ou du malheur de ton père, de ta mère, de tes enfants, de ton conjoint, de tes amis, de ton entourage...

Toutefois tu es responsable de l'attitude que les gens ont envers toi. C'est toi qui fais arriver qu'une personne est douce, violente, critique ou aimante avec toi. Penses-y. Tu l'as sûrement expérimenté.

Exemple : une personne en particulier critique continuellement lorsqu'elle se retrouve en ta présence. Jamais rien n'est à son goût et quoi que tu dises, elle ne semble jamais d'accord. Si tu la juges comme étant une personne critique, elle te jugera et te critiquera à son tour car c'est ce que tu as décidé d'elle. Par contre une autre personne peut l'aimer beaucoup et ne voir en elle que de la franchise et de l'honnêteté. Alors cette même personne qui critique avec toi deviendra toute douceur avec l'autre qui la voit différemment. Elle ne ménagera pas pour autant son opinion mais son jugement sera beaucoup moins critique.

Ce sont tes vibrations qui font que les gens ont une attitude plutôt qu'une autre envers toi. Ils deviennent tes guides pour t'aider à devenir conscient de ce qui se passe au plus profond de toi.

L'ENGAGEMENT ET LA RESPONSABILITÉ

Tu auras l'impression qu'en transformant ta façon de penser, les gens auront changé autour de toi. Non les gens demeurent les mêmes. C'est qu'en changeant ta façon de penser, tu fais ressortir un autre aspect d'eux-mêmes.

Tu vois comme la notion de responsabilité va loin. C'est pourquoi tu dois prendre conscience de ce que tu es, dis et fais. Commence dès maintenant à la mettre en pratique dans ta vie.

Et maintenant qu'est-ce qu'un *engagement*? Un engagement est une action de se relier par une promesse ou un contrat envers quelqu'un d'autre tout comme un employé s'engage à travailler de telle heure à telle heure, de faire telle fonction et de recevoir tel salaire en retour. Ceci est un engagement.

Les parents face à leurs enfants représentent un engagement. Lorsque je décide d'avoir des enfants, je m'engage en tant que parent à les faire vivre jusqu'à ce qu'ils soient en mesure de gagner leur vie par eux-mêmes. Ça fait partie de l'engagement qu'ils aient un toit, de la nourriture et des vêtements. Ce qui ne veut pas dire de leur donner tout ce qu'ils veulent. Tu t'engages à leur donner tout au moins le nécessaire. Si tu désires en donner davantage, que ce soit par choix et non parce que tu t'y sens obligé. L'extra ne fait pas partie de l'engagement. Il en va de même pour l'employé qui s'engage à faire telle chose pour son patron. S'il veut en faire plus c'est très bien mais c'est aussi son choix. L'important est de garder l'engagement de base.

Lorsque je m'engage à rencontrer quelqu'un à telle heure, sur tel coin de rue, il importe de respecter cet engagement. Car dans la vie il existe une autre grande loi naturelle: *"Tu récoltes ce que tu sèmes"*. En effet si tu ne gardes pas tes engagements avec les autres c'est ce que tu vas récolter!

Tu ne peux te désengager de ta responsabilité car elle t'appartient. Mais tu peux te désengager d'un engagement pris antérieurement. Toutefois il est fortement conseillé de regarder qu'elles sont les conséquences qu'entraîne ton désengagement.

Beaucoup de gens se désengagent continuellement; d'autres oublient et ce sans se préoccuper des conséquences. En agissant ainsi, tu causes beaucoup de problèmes dans tes relations avec les autres. N'oublie pas que tu récoltes ce que tu sèmes. Alors avant de prendre une décision, *arrête-toi et demande-toi : "Combien cela m'en coûtera-t-il dans mes relations, ma santé, mon bonheur, mes amours...?"*. Si la situation ne présente aucune gravité, qu'il ne t'en coûtera que très peu et que tu es prêt à faire face aux conséquences, il n'y a pour ainsi dire qu'un léger prix à payer.

Tu t'es engagé à rencontrer quelqu'un pour une sortie mais entretemps il t'est arrivé autre chose de plus intéressant. Par contre tu n'oses pas te désengager de peur de faire de la peine, de peur de ce qu'on va dire ou de peur d'être critiqué ou jugé ; tu te retrouves donc encore une fois à faire des choses que tu n'aimes pas. Tu t'engages parfois trop vite sans réfléchir pour ensuite le regretter. Si c'est ton cas, n'hésite pas à te désengager.

Ce n'est pas compliqué de téléphoner à quelqu'un pour lui faire part de ton changement d'idée. Sois honnête et vrai avec l'autre personne : "Je sais que j'avais dit que je le ferais mais est-ce qu'on peut se reprendre? J'ai dit oui trop vite".

La même chose va pour toi. Tu décides une bonne journée que dorénavant tu feras de l'exercice physique à tous les jours. Tu viens de t'engager avec toi-même à faire quelque chose. Tu viens de te faire une promesse. Ça va très bien durant les premiers jours mais graduellement tu commences à délaisser ton engagement. Tu n'as plus le temps, tu as oublié... Finalement l'inévitable arrive : tu as tout lâché. *Tu te sentiras désormais coupable et insatisfait.* Tu te reprocheras de toujours commencer quelque chose sans arriver à le finir. Depuis tu te questionnes inlassablement à savoir si un jour tu parviendras à changer. Pour éviter de te sentir encore plus mal dans ta peau, il serait préférable de te dire : "Bon. J'avais pris un engagement; j'avais promis de faire mes exercices mais j'ai changé d'idée. Je me suis engagé trop vite. Je n'ai pas vraiment le temps. Je me reprendrai un peu plus tard". Ainsi, *en te désengageant envers toi-même*, tu écartes la possibilité de te sentir coupable. Cependant attention, si tu prends plaisir à toujours te désengager, n'oublie pas que tu récoltes ce que tu sèmes. Les autres se désengageront envers toi aussi. Es-tu prêt à payer le prix?

Lorsque tu décides de vivre avec quelqu'un, il est primordial que tu saches t'engager. Si vous prévoyez vivre à deux, trois ou plus sous un même toit, il serait bon de vous asseoir ensemble autour d'une table et de vous engager individuellement afin de déterminer comment vivre cette vie commune. Qui fera quoi? On imagine facilement le jeune couple qui décide de vivre ensemble ou de se marier. Tout est bien beau jusqu'au moment où l'on constate que personne n'a été désigné pour aller faire l'épicerie, laver la toilette, faire la vaisselle, sortir les ordures, faire le ménage, s'occuper du budget, etc. Il est important dans une vie commune de savoir prendre des engagements. À la maison tout comme dans le milieu du travail, chacun a ses tâches à accomplir. Alors si quatre personnes collaborent à salir la maison, ces mêmes quatre devraient s'entendre à la nettoyer. Je suggère de réunir tous les membres autour d'une table et d'énumérer par écrit les tâches à exécuter dans la maison. Si on ne pouvait tenir son engagement, il est recommandé de prévoir qui le fera à notre place, de se faire remplacer ou de faire des échanges. C'est une façon d'améliorer les relations qu'implique une vie commune. Savoir prendre des engagements et savoir se désengager.

Il en va de même pour un couple qui se retrouve avec un ou plusieurs enfants. Qui fait quoi pour l'éducation et l'évolution de ces enfants?

L'exercice à faire pour ce chapitre est de trouver une situation, dans ta vie présente où tu crois que quelqu'un d'autre est responsable de ce qui t'arrive. Vois ta responsabilité et s'il y a lieu tente de contacter cette personne afin de clarifier la situation. Trouve une seconde situation où tu penses être responsable pour une autre personne. Accepte que c'est l'autre qui est responsable de sa vie, de ses choix et de ses décisions. À nouveau clarifie cette situation avec la personne concernée.

Maintenant prends une feuille et inscris-y tous les engagements pris jusqu'à ce jour. Tiens-tu tes engagements? Peux-tu t'en désengager? Tu t'apercevras rapidement qu'il y a plusieurs choses que tu te forces à faire pour autrui alors que tu n'en avais nullement l'intention. Écris quels sont tes engagements dans ta vie, ceux envers toi-même, ceux envers les autres et à nouveau clarifie chaque situation avec la personne concernée.

Voici l'affirmation que je te conseille de dire à chaque instant que tu peux, d'ici à ce que tu lises le prochain chapitre :

JE SUIS LE SEUL RESPONSABLE DE MA VIE ET EN CONSÉQUENCE TOUS MES PROCHES SONT TOUT AUSSI RESPONSABLES DE LEUR VIE.

CHAPITRE 4
L'AMOUR ET LA POSSESSION

AMOUR! Quel grand mot! J'ai travaillé avec des milliers de personnes depuis ces dix-neuf dernières années et chacune d'entre elles m'a assurée qu'elle savait aimer... C'était les autres qui l'ignoraient...

Comment te sens-tu face à cette déclaration? D'après toi aimes-tu tes enfants? Ton conjoint? Et tes parents? Je suis certaine que tu réponds dans l'affirmative. Cependant n'y a-t-il pas une certaine insatisfaction quelque part en toi? Ne serais-tu pas tenté de dire: "Je les aime mais... il me semble que mes relations ne sont pas ce que je voudrais qu'elles soient. J'aimerais tant changer certaines choses".

C'est ce que disent la majorité des êtres humains. Les gens commencent à réaliser que cette insatisfaction existe depuis trop longtemps. Ils sentent qu'il doit y avoir de bien meilleures choses quelque part ailleurs. *La grande loi de l'amour est la plus grande loi naturelle et spirituelle.* Elle fait arriver des choses extraordinaires: ça demande seulement de la mettre en pratique dans ta vie.

Mais qu'est-ce que l'AMOUR? Le vrai amour c'est-à-dire celui avec le coeur, l'amour inconditionnel et total?

> **"C'est de laisser tout l'espace et toute la liberté aux autres personnes. C'est aussi s'octroyer son propre espace et sa propre liberté. Aimer, c'est respecter et accepter ce que les autres désirent accomplir dans leur vie. L'amour, c'est apprendre à respecter et à accepter le désir ou l'opinion de l'autre personne même si tu n'es pas d'accord et même si tu ne comprends pas. L'amour, c'est aussi donner et guider sans attentes".**

À partir d'aujourd'hui, tu auras comme tâche dans ta vie d'apprendre à aimer avec ton coeur. La spécialité de chacun de nous est d'aimer avec sa tête. Je suis certaine que tu le sais car tout le monde le fait. On croit qu'aimer est de dire à l'autre ce qu'il "devrait" faire. On cherche à vouloir changer l'autre pour éviter qu'il fasse les mêmes erreurs que nous. On pense que s'il changeait telle ou telle façon d'être, d'agir, de penser, de parler que sa vie en serait améliorée. *Mais attention... ce qui se passe dans la vie des autres ne te regarde pas.* Tu es sur la terre pour ton évolution personnelle et non pas celle des autres.

On analyse et juge constamment le comportement des autres car on a des attentes envers eux. Tout ça n'est que possession. C'est ça aimer avec sa tête. *L'amour véritable est de donner ou de guider sans attentes.* Combien de fois n'a-t-on pas su aimer! Et combien de fois s'est-on demandé ce qui n'allait pas dans notre vie!

Une dame m'a confié un jour que son mari est arrivé un bon soir en lui annonçant qu'il avait l'intention cette année-là de faire un petit jardin. Le dialogue se serait déroulé comme suit:

– Chérie, j'ai le goût de me faire un jardin.
– Ça n'a pas de bon sens! Tu travailles beaucoup trop; tu arrives à 8 ou 9 heures tous les soirs. Tu n'auras pas le temps de t'en occuper.
– Mais j'ai le goût de faire un jardin. Si je n'ai pas le temps de m'en occuper, je demanderai à notre fils qu'il s'en charge.
– Tu le connais bien pourtant ce grand-là (il a 18 ans), quand on a besoin de lui, il n'est jamais là. Qu'est-ce que tu vas faire alors? Tu n'as pas le temps. Ce ne sera qu'une surcharge de travail pour toi.

À force d'arguments, il finit pas succomber et décide de renoncer à son jardin. Pendant toute la soirée, cette dame sentit une insatisfaction en elle. Lui dans son coin était figé devant le téléviseur, silencieux. Elle s'est mise à manger... par émotion! Elle le sentait de mauvaise humeur parce qu'elle l'avait fait changer d'idée.

Si elle a agi ainsi, premièrement c'est parce qu'elle l'aime et deuxièmement, elle a voulu lui éviter une somme de travail inutile. C'est justement ce qu'on appelle *être dans sa tête*. Elle ne l'aime pas avec son coeur. Si elle l'avait aimé avec son coeur, elle lui aurait dit: "Si c'est ce qui te fait plaisir chéri, fais-le ton jardin". S'il n'avait pas eu le temps de s'en occuper, quelle différence ç'aurait fait dans sa vie à elle? Tu vois *aimer* c'est d'accepter les désirs des autres même si on ne comprend pas. Je suis assurée que cet homme se serait organisé pour arriver plus tôt à la maison simplement pour aller s'amuser dans son jardin. Dans la possibilité qu'il se serait mis à le négliger parce qu'il n'obtenait pas les résultats escomptés ou par manque de temps, il aurait au moins eu la satisfaction de faire ce qu'il avait eu envie de faire sans que cela ne vienne déranger la vie des autres.

Je pourrais te citer des milliers d'exemples comme celui-là. Aimer, c'est respecter l'espace de l'autre personne. À chaque fois que l'on tente de diriger une personne, de changer ou de contrôler ses actions, paroles et pensées, on entre dans son espace. Lorsque tu te retrouves dans l'espace de l'autre, tu perds le tien et l'autre, le sien. L'espace des deux étant emmêlé, chacun vit étouffé par l'autre.

Tout ce qui existe sur la terre a besoin de son espace pour grandir et évoluer. Si l'on essayait de faire pousser cinq ou six arbres au même endroit, dans le même espace, ça n'irait pas non? C'est la même chose pour l'être humain. L'espace vital est très très important. Certains ont besoin de plus d'espace que d'autres. Une personne autonome, forte de caractère, aura besoin de plus d'espace spécialement les êtres plus évolués.

As-tu remarqué que les enfants ont besoin d'un grand espace? Les enfants de la nouvelle génération sont très évolués; ils savent aimer. C'est nous qui leur enseignons la possession. Nous aurions intérêt à les observer davantage...

Commences-tu à comprendre ce que veut dire *"aimer"*? Cependant la différence entre accepter et être d'accord doit être claire en toi. *Accepter, c'est constater que la chose est là. Tandis qu'être d'accord, c'est avoir la même opinion.* Pour aimer vraiment, c'est d'être capable d'accepter même si l'accord n'y est pas. C'est ce qui est le plus difficile pour l'être humain. C'est toujours l'orgueil qui nous empêche de voir de cette façon.

Il est évident qu'il n'est pas facile pour un parent de voir son enfant aux prises avec de la drogue : "Je ne peux pas accepter que mon fils se drogue, ce n'est pas bon pour lui. Je ne suis pas d'accord, ça n'a aucun sens''. On voudrait que tout le monde soit heureux selon notre notion de bonheur. Mais si le fils ressent le besoin de prendre de la drogue, c'est qu'il a une expérience à vivre à travers ça. Ce n'est pas aux parents ni à personne dans la société à le juger, à le critiquer ou à essayer de contrôler sa vie. Cette responsabilité lui appartient. C'est à lui de décider quand il en aura assez. Il arrêtera quand il aura appris ce qu'il avait à apprendre. Lui seul aura à subir les conséquences de son choix.

Le danger pour cet enfant, c'est d'être entouré de gens qui s'acharnent à lui dire que ce n'est pas correct et qui veulent l'en empêcher. Il ne fera qu'en accentuer son usage. Il le fera pour se venger, pour défier l'autorité. La plus belle preuve d'amour serait de lui dire ceci : "Écoute personnellement, je ne suis pas d'accord. Je sais qu'il y a des dangers à prendre de la drogue. Mais c'est ta vie, ta responsabilité; si tu es heureux là-dedans, je ne peux rien y faire, c'est ton choix. Par contre il serait important que tu saches qu'il y aura des effets suite à ce choix qu'il te faudra accepter car tu auras à y faire face''. Par cette attitude, le jeune respectera ses parents beaucoup plus. Donner l'espace aux autres, c'est de les respecter dans leur choix de vie. *Les respecter dans leur façon d'être.*

Il est important de faire la différence entre le *"être"* et le *"avoir"*. Aimer veut dire de laisser les autres "être" comme ils veulent et non pas de leur donner tous les "avoir" qu'ils désirent. Si les enfants décident de porter les cheveux longs, de ne plus étudier, de manger différemment, de penser différemment, c'est leur choix.

Je travaille avec cette notion d'amour depuis plusieurs années déjà et je ne cesse de voir des miracles s'accomplir à toutes les semaines. C'est fantastique! Dès que les gens commencent à mettre cette notion en pratique dans leur vie, que ce soit avec leur conjoint, leurs parents, leurs enfants, leur amis, leurs employés ou encore leurs patrons, les résultats sont extraordinaires. L'amour a le pouvoir de faire des changements des plus bénéfiques pour tous.

Il est recommandé d'enseigner cette notion d'amour à vos enfants, dès leur bas âge, à la naissance et pendant les neuf mois de la grossesse. La mère peut lui confier qu'elle le respectera et que c'est lui qui aura à décider de sa vie. Cet enfant sera beaucoup plus épanoui. À la naissance l'enseignement peut continuer en lui révélant que tout ce qui lui arrive, c'est lui qui le fait arriver.

Une personne fait toujours un choix en pensant que ce choix est ce qu'il y a de mieux pour elle. C'est pourquoi il est important d'en accepter la décision. Si un de tes proches te dit : "Moi j'ai le goût de faire telle ou telle chose" et que sa décision te déplaise, n'essaie pas de lui faire changer d'idée. Dis-lui plutôt ceci : "Si tu penses que c'est ce qui te rendra heureux/se, fais-le. Moi je t'aime et tout ce qui m'importe, c'est de te voir heureux/se. Mais es-tu bien sûr de ce que tu veux faire? As-tu pensé aux conséquences? Alors c'est très bien comme ça".

"Si c'est ce qui te rend heureux/se, vas-y, fais-le". Peux-tu t'imaginer tout ce que cela fait dans une relation! Te souviens-tu de t'être fait dire cela lorsque tu étais plus jeune? Aurais-tu aimé te faire parler ainsi? Quelle question!

Si un enfant dit quelque chose de vraiment insensé à ses parents ou le mari à sa femme ou vice versa mais que l'intention n'est pas réelle, c'est seulement pour le/la manipuler. Quand il/elle s'entend répondre une chose telle que : "Écoute, si c'est vraiment ça que tu veux faire et que tu crois que ça peut te rendre heureux/se, alors fais-le". Je t'assure que ça porte à réflexion et il est fort possible qu'il/elle revienne quelques instants plus tard en disant : "Tu sais j'ai changé d'idée; ce n'est pas vraiment ce que je veux faire". Voilà un des pouvoirs de l'amour.

Il est bien important de comprendre la notion "d'espace". Certaines personnes dépendent des autres pour être heureuses. Dans un tel cas c'est à toi d'y voir. Tu dois t'affirmer pour éviter qu'on empiète dans ton espace.

Exemple: Une personne arrive et te dit: ''Je serais heureux/se si tu venais au cinéma avec moi ce soir''. C'est déplorable pour cette personne; tu avais déjà planifié ta soirée. Et si tu ne veux pas aller au cinéma, tu n'as pas à le faire. Voici ce qu'il serait bon de répondre: ''Je m'excuse; tu as planifié quelque chose sans m'en parler et j'ai prévu passer ma soirée autrement''. Tu n'es aucunement responsable du bonheur de l'autre. Cependant si la sortie t'intéresse et que tu as vraiment le goût d'aller au cinéma et par conséquent de lui faire plaisir, alors vas-y mais sans attentes! La majorité des gens qui font quelque chose pour faire plaisir à l'autre s'attendent à ce que ça leur soit remis. Ça crée un tas de désappointements.

Voici un exemple du mari qui appelle sa femme. ''Chérie, je suis en forme ce soir; tout a bien été au travail cette semaine et j'ai décidé de te sortir. Prépare-toi; je vais te chercher; je t'emmène dans un beau restaurant''. La soirée se déroule bien et de plus il lui paie ce qu'il y a de mieux. Par contre elle ne s'est même pas questionné à savoir si c'était vraiment ce qu'elle voulait faire de sa soirée. Elle s'est déplacée pour lui faire plaisir. À la fin de la soirée, monsieur s'attend à *faire l'amour* en retour! Mais elle n'en a pas le goût; et c'est son droit. Vois-tu... les attentes aboutissent plus souvent qu'autrement à la déception.

Voici la version *d'aimer avec son coeur*: ''Chérie, j'ai le goût de te faire plaisir, qu'est-ce qui te rendrait heureuse?'' Elle aurait peut-être préféré choisir de passer une soirée tranquille remplie de tendresse et de caresses. Ou s'il voulait absolument célébrer, le mieux aurait été de lui dire: ''Chérie, j'ai le goût de fêter; voudrais-tu m'accompagner ce soir dans ma sortie?'' Elle aurait réfléchi et choisi: ''Oui je veux l'accompagner'' et lui de son côté n'aurait pas eu d'attentes. Tu vois avec un peu de clarté dans les propos, on évite bien des malentendus.

C'est pour cette raison qu'il y a autant de problèmes dans les relations entre conjoints, ''parents-enfants'' et ''enfants-parents''. Rien n'est clair. La communication est nulle. Tout n'est que possession et manipulation. Accepte l'idée qu'il n'y a personne au monde qui doive être responsable du bonheur de quelqu'un d'autre. Lorsque quelqu'un veut te faire plaisir ou si tu veux faire plaisir à quelqu'un, dis-toi que c'est du glaçage sur ton gâteau. Tu dois faire ton gâteau toi-même et accepter que lorsqu'une personne veut partager ton bonheur, c'est du glaçage. Le gâteau ne sera jamais réussi si tu mélanges le glaçage au gâteau.

Il est très important de ne jamais s'attendre qu'une autre personne se doive de te rendre heureux.

Y a-t-il beaucoup de choses que tu aimerais changer de ton conjoint? Le conjoint que tu as choisi, car tu l'as choisi, a quelque chose à t'apprendre. Si tu le laissais en n'ayant pas complété ta relation avec lui, la même situation se répéterait avec un autre. Tu auras, hors de tout doute, à compléter ta relation avec une autre personne et malheureusement ce sera un peu plus difficile pour toi à chaque fois.

Il serait beaucoup plus sage pour toi d'apprendre à aimer cette personne telle qu'elle est et de l'accepter dans son choix "d'être". S'il y a lieu de vivre une séparation parce que chacun veut aller de son côté, cette séparation devrait être harmonieuse c'est-à-dire que les deux conjoints consentent à se séparer et sont convaincus que le meilleur choix a été fait. Si un couple se laissait avec une mésentente parce qu'ils ne pouvaient s'accepter ou s'endurer, cette séparation ne serait qu'une fuite. Ils auront à y faire face à un autre moment. On ne peut pas se sauver d'une situation dans notre vie. Tant et aussi longtemps que l'on néglige d'aimer, les mêmes situations se reproduisent!

Voici un exemple de personne qui croit donner par amour, avec son coeur, mais qui prouve par son comportement qu'elle donne avec sa tête et par le fait même se crée des attentes. C'est la fête de quelqu'un qui lui est très cher. Elle fait mille et un magasins pour lui acheter quelque chose qu'elle aurait toujours voulu avoir. Elle l'achète en décidant d'avance que c'est ce qui lui fera plaisir. Elle donne son cadeau. La personne ne semble pas réagir comme elle l'espérait. Elle est désappointée, frustrée car elle a dépensé beaucoup d'argent et de temps à magasiner. *Ça, c'est aimer avec sa tête!*

Si tu veux vraiment faire plaisir à quelqu'un qui fête son anniversaire, demande-lui ce qu'il/elle désire: "J'ai le goût de te faire un cadeau, qu'est-ce qui te ferait le plus plaisir; j'ai telle somme d'argent à dépenser''? Même si tu as peu d'argent, c'est la pensée qui compte. Tu demandes à cette personne de te donner quelques idées ou suggestions. Alors tu vois, tu n'as ni attente ni déception.

La personne préférerait peut-être ne recevoir aucun cadeau : "Je ne veux pas de cadeau; ne m'achète rien, ta présence me suffira". Tu n'as qu'à respecter son choix : "Très bien tout ce que je veux, c'est que tu sois heureux/se. Si tu ne veux pas de cadeau, je ne t'en ferai pas". Si au fond d'elle-même elle aurait vraiment souhaité recevoir un cadeau mais n'a pu s'affirmer et qu'elle s'aperçoive que tu l'as prise au mot en respectant sa demande, elle devra dorénavant apprendre à s'affirmer quand l'occasion se présentera.

Par contre si tu as le goût de faire une surprise à quelqu'un et de lui acheter quelque chose, tu dois réaliser qu'en premier lieu, c'est bel et bien à toi que tu fais plaisir. C'est toi qui as le plaisir d'aller magasiner, de choisir le cadeau et de l'emballer. Sois honnête; c'est à toi d'abord que tu fais plaisir ! "J'ai acheté quelque chose et j'ai pensé que tu aimerais ça mais je ne suis pas sûr. De toute façon ce n'est pas grave; j'ai gardé la facture et je pourrai l'échanger pour autre chose. Cette surprise, c'est à prime abord pour mon plaisir". La situation est claire et nette, sans attentes et sans désappointement au bout de la ligne.

Lorsqu'une personne te parle de ses projets, c'est qu'elle a choisi quelque chose et de par ce choix vivra des expériences. Tu n'as qu'à accepter la situation telle quelle spécialement si elle ne te demande pas ton opinion. Si tu vois qu'elle n'insiste pas pour la connaître mais que toi tu brûles d'envie de la lui donner, tu peux lui demander : "Est-ce que tu voudrais que je te donne mon opinion sur ce que tu as décidé de faire?" Si elle ne le veut pas, ne la lui donne pas, car ça ne te regarde pas. Après tout, c'est sa vie à elle.

Le seul temps où ça devient de tes affaires, c'est lorsque le choix de l'autre personne vient toucher ton espace. Si tu es un parent et que ton garçon décide de se faire plaisir en invitant ses amis à 2 heures du matin pour faire jouer de la musique à tue-tête, alors là ça entre dans ton espace. Tu as le droit de t'affirmer et de dire : "Non je regrette mais à cette heure-là, je dors. La maison appartient à tout le monde et on doit se respecter les uns les autres''. De toute façon il peut toujours faire jouer sa musique pendant ton absence.

Par contre, s'il décidait d'entrer à la maison à une heure tardive alors que tu préférerais qu'il entre plus tôt, tu te crées des attentes inutiles car ça ne te concerne pas. C'est son corps, c'est sa vie. S'il est fatigué le lendemain matin, lui seul en subira les conséquences.

Lorsque tu veux changer quelqu'un ou le diriger, demande-toi : ''Si cette personne changeait, quelle différence cela ferait-il dans ma vie, dans mon ''être''? Quelle différence cela ferait-il dans ma vie si mon fils se couchait tard et qu'il soit fatigué le lendemain?'' Aucune. Tu continuerais à faire les mêmes activités le lendemain, et en plus, ça ne toucherait pas à ton espace.

Pourquoi se compliquer la vie parce qu'une personne se coiffe différemment, s'habille autrement et n'a pas la même conception du bonheur que soi! On se préoccupe tellement des affaires des autres qu'il ne reste ni place ni énergie pour soi.

Tes relations seront beaucoup plus faciles quand tu auras appris à t'aimer. Non seulement tu dois accepter les autres mais tu dois aussi t'accepter toi-même comme tu es sans vouloir te changer sauf si ce n'est pas bénéfique pour toi. Si tu vois que certaines choses te coûtent trop cher et que tu n'as pas le goût d'en payer le prix, dès lors tu décides de ta nouvelle façon d'être. Tu as des expériences à vivre comme chacun de nous. Les conséquences résultent de tes décisions et de tes choix. Il n'en tient qu'à toi de vouloir apprendre.

L'important est de t'aimer et d'aimer les autres; te respecter et respecter les autres. Ne laisse pas les autres te faire sentir coupable (la culpabilité sera discutée plus en détail dans un autre chapitre).

Comme tu récoltes ce que tu sèmes, alors pourquoi ne pas semer de l'amour afin d'en récolter à ton goût? Tu vas sûrement rétorquer en disant que ce n'est pas juste que ce soit toi qui fasses tous les efforts. Tu crois peut-être que si les autres devenaient plus gentils, plus patients et plus agréables avec toi, il te serait plus facile de changer ton attitude. Ce qui revient à dire que lorsque les autres décideront de semer des carottes, toi tu les mangeras ! Décide ce que tu veux ! Mais que veux-tu récolter si tu n'as rien semé ? Tu en veux des carottes, à toi de les semer ! C'est une façon de s'assurer d'une récolte. Donc si tu veux recevoir de l'amour, tu devras d'abord en semer avant de pouvoir en jouir.

L'amour a un grand pouvoir de guérison. L'amour vibre. Quand tu es rempli d'amour, ces vibrations émanent tellement de toi que les gens se sentent bien en ta présence. C'est à cet instant qu'ils deviennent différents avec toi. Tu auras l'impression que tout le monde change autour de toi mais ce n'est que le résultat de tes vibrations.

Arrêter de vouloir changer les autres, arrêter de vouloir se changer, c'est ce qu'on appelle *lâcher prise*. Quand tu auras tout lâché, la transformation commencera. Tu verras par toi-même que l'amour fait des miracles.

Plus tu te pratiques à aimer, plus tu fais de petites victoires, plus ça devient facile. N'oublie pas que lorsque tu juges et que tu critiques quelqu'un, ça sous-entend que "tu es *DIEU* et que l'autre ne l'est pas". Chaque personne même le plus grand criminel est né pour aimer et être aimé.

Dans la vie il n'y a pas de méchants; il n'y a que des souffrants.
En acceptant sa propre souffrance ou celle des autres, il est beaucoup plus facile d'accepter les choses qui peuvent nous paraître trop violentes ou trop méchantes. En voyant de la souffrance chez un criminel, tu l'accepteras plus facilement. Accepte que lui aussi récoltera ce qu'il a semé. Quand il aura souffert suffisamment, il se transformera et découvrira qu'il est le seul à mener sa vie. Lorsqu'il réalisera par lui-même combien ça lui coûte *d'être* ainsi, il décidera de changer son fusil d'épaule en temps et lieu.

Tu récolteras beaucoup d'amour à apprendre à aimer et à t'aimer toi-même. C'est comme apprendre à danser. Plus tu te disciplines, plus tu pratiques, plus tes chances de réussite sont en ta faveur.

L'exercice pour le présent chapitre est de trouver une situation dans laquelle tu auras à te poser la question suivante : "Qu'est-ce qui me rendrait heureux?"

Fais-toi plaisir, fais ce qui te rendrait vraiment heureux. Trouve maintenant une situation similaire qui impliquerait cette fois une autre personne. Demande-lui : "Qu'est-ce qui te rendrait heureux?" Si la personne parle au niveau de son "être", bien. Mais si elle choisit de vouloir quelque chose (dans son "avoir"), il serait souhaitable de spécifier le montant que tu es prêt à fournir et le temps que tu es prêt à y consacrer. Donc en résumé, une situation avec toi-même et une situation avec une autre personne.

Voici ton affirmation :

> **JE RESPECTE ET J'ACCEPTE LES DÉSIRS ET OPI-NIONS DES AUTRES MÊME SI JE NE SUIS PAS D'ACCORD OU MÊME SI JE NE COMPRENDS PAS. EN CONSÉQUENCE JE REÇOIS DE PLUS EN PLUS D'AMOUR.**

CHAPITRE 5
LA GRANDE LOI DE CAUSE ET EFFET

La loi de **CAUSE ET EFFET** est la même loi que "action/réaction" qui veut dire : "Tu récoltes ce que tu sèmes". On l'appelle aussi "boomerang" car tout ce que tu lances te revient. C'est une grande loi à ne pas ignorer. Elle t'aidera à devenir maître de ta destinée.

Il n'y a jamais de cause sans effet car la cause entraîne indubitablement l'effet. Cette grande loi appartient au monde physique, psychique, mental, cosmique et spirituel. Elle est immuable.

Ne pas y croire est aussi insensé que de nier l'existence de la loi de la gravité et de se lancer en bas d'un édifice de soixante étages ou de prendre un verre de poison en croyant que le poison ne puisse empoisonner.

La loi de cause à effet est une loi irréversible. Il est aisé de reconnaître que si l'on sème des carottes, on récoltera des carottes et non des pommes de terre. Le même phénomène se produit dans ta vie. Tu récoltes ce que tu sèmes. Tous les effets y sont. Tout ce que tu récoltes a été semé par tes pensées conscientes et inconscientes.

Je pourrais te citer mille et un exemples à cet effet. Présentement pourrais-tu vivre dans une maison d'une valeur d'un demi-million de dollars? Non. Ce n'est pas pour toi, c'est uniquement pour les riches? Voilà. C'est bien suffisant pour récolter ce que tu penses. Mais comment se fait-il qu'il y ait tant de personnes qui habitent des châteaux? Ils sont des milliers à être millionnaires pourquoi? Tout simplement parce qu'ils y croient.

Partir en voyage pour un an, ça te le dit? Ah! mais non! Ça ne se fait pas! Ni temps ni argent! Alors c'est ce que tu récoltes. Tu restes où tu es.

Penses-tu avoir une maladie héréditaire? Oui? Ah! Je vois. Tu n'as pas le choix. Tu as le diabète comme tout le reste de la famille. Tu ne récolteras jamais autre chose car tu as accepté l'idée de cette maladie tout à fait inconsciemment comme étant héréditaire. Saviez-vous qu'il est prouvé qu'il n'existe que très peu de maladies héréditaires? La seule que je reconnaisse vraiment est la façon de penser transmise de génération en génération...

"Je ne peux pas. Je ne suis pas capable"; voilà le meilleur moyen pour passer à côté de la réussite!

La grande loi de cause et effet est là pour tous les êtres de la terre. Que tu sois pauvre, riche, pape, mendiant, homme, femme, enfant, cette loi existe pour chacun de nous. Chaque fois que tu enfreins cette loi, c'est toi qui en subis les conséquences.

Être capable de connaître l'effet que provoquera une cause est de faire preuve de grande sagesse.

Si tu passes ta vie à paresser et à attendre que tout te tombe du ciel, tu ne récolteras jamais les mêmes choses que celui qui met du sien et qui travaille régulièrement. Il y a tellement de gens occupés à envier les autres, à regarder tout le succès qui leur arrive qu'ils se résignent à penser qu'ils n'auront jamais *cette chance*. Ils récolteront ce qu'ils sèment c'est-à-dire *rien*.

Si tu ne récoltes pas assez d'amour dans ta vie, qui a oublié d'en semer? Si tu n'as pas toute l'affection que tu désires dans ta vie, qui a oublié d'en semer? Montrer des signes d'affection ne résultera pas en une récolte fructueuse automatiquement. Tout dépend si c'est fait avec attentes. Il n'y a des attentes que dans sa tête. On parle ici de la "vraie" affection et du "vrai" amour, celui qui vient du coeur, sans attentes. On ne peut récolter du coeur des autres si l'on demeure dans sa tête.

Si tu veux changer les effets et les réactions dans ta vie, tu n'as qu'à changer la cause. Regarde ce que tu récoltes et retourne voir ce que tu as semé. Inévitablement tu en trouveras la cause.

Tu peux vérifier la loi de cause et effet par de simples petits tests: si tu t'aventures trop près du feu, tu vas te brûler. Si tu touches un glaçon les mains nues, tu te gèleras les doigts. Trop simple peut-être! Or cette grande loi n'est vraiment pas plus compliquée que ça.

Quoi que tu fasses, la réaction est pareille à l'action tout comme l'effet est le même que la cause, et la récolte est la même que la semence. L'être humain se complique souvent la vie devant trop de simplicité. Il doute, il craint, il s'inquiète et se déroute lui-même pour finalement aboutir au même point de départ. Et pendant tout ce trajet, il a vécu des tas de choses désagréables qu'il aurait pu éviter s'il avait d'abord cherché en lui. La réponse y est toujours.

Si certaines situations se répètent régulièrement sans que tu puisses y comprendre quoi que ce soit, accepte l'idée que cette récolte a été semée par toi fort probablement depuis ta tendre enfance. Tu as sans doute décidé très jeune de t'apitoyer sur toi-même et c'est ce que tu continues de récolter aujourd'hui. Cette récolte peut se manifester par une santé fragile, de la maladie, de la violence, etc. Tu ne te souviens pas de ces décisions car elles sont pratiquement toujours prises inconsciemment.

Cependant il n'est pas nécessaire de reculer si loin pour tenter de comprendre. Il n'est même pas nécessaire d'essayer de comprendre. *On peut tourner la page sur le passé et recommencer une nouvelle vie dès aujourd'hui*. Tu peux changer l'effet de ta vie en changeant la cause à l'instant même si tu le veux. Ta décision t'appartient. Si tu décides qu'à partir de maintenant tu veux récolter de l'amour, tu peux commencer à en semer quand et où tu le veux. Ne te préoccupe plus du passé et des causes qui ont été mises en mouvement. Ne cherche plus quelle situation a bien pu produire tel ou tel effet. Tu viens de refaire peau neuve. Oublie le passé; ce ne sont que des *expériences* que tu as vécues.

Sème ce que tu désires récolter. Si tu désires vivre dans l'abondance, commence à penser *abondance*. Prétends être riche et prétends avoir tout l'argent dont tu as besoin. Que feras-tu maintenant? Iras-tu manger dans un petit restaurant de troisième classe ou en préféreras-tu un de première classe? Si tu choisis celui de première classe, c'est ce que tu dois faire! Tu vas sûrement t'exclamer et me dire que tu n'as pas l'argent et que si tu le faisais, il ne resterait plus rien pour le loyer. Par ces paroles vois-tu la cause que tu mets en mouvement? Tu viens de dire que tu n'auras pas l'argent pour payer le loyer et c'est justement ce qui t'arrivera. Tu dois te programmer continuellement en affirmant quelque chose comme ceci : "Je suis riche; j'ai de l'abondance dans tout; je ne sais pas d'où elle proviendra mais cette grande richesse universelle est là pour moi".

Il n'est pas nécessaire d'aller à l'extrême. Commence par de petites réalisations en sachant précisément ce que tu veux récolter. Tu es prêt à passer à l'action.

Il est très important de passer à l'action pour obtenir la réaction voulue. En demeurant à la maison et en conservant le tout précieusement au niveau de ta pensée, tes résultats seront très très lents. Tu dois y mettre de ton énergie et bouger.

Si tu désires une nouvelle garde-robe, débarrasse-toi des vêtements que tu ne veux plus en prétendant que tu fais de nouvelles places pour tout ce que tu as acheté. Commence graduellement à aller chercher les choses que tu désires vraiment.

Tu es sans doute en train de penser : "C'est bien trop beau pour être vrai, c'est presque impossible que ça m'arrive". Tu vois déjà quelle cause tu mets en branle? Sois conscient de chacune de tes pensées. Que penses-tu en lisant ces lignes. Y crois-tu? Es-tu prêt à le vivre ou bien en doutes-tu encore? Continue à douter et tu n'obtiendras jamais ce que tu désires.

Si ce que tu veux récolter est d'avoir plusieurs amis, d'être entouré et d'avoir une vie active, commence par faire une action en ce sens. Trouve-toi des amis; approche les gens par toi-même, parle aux passants sur la rue à différents endroits n'importe où. Fais-le à tous les jours. Ainsi tu mettras une nouvelle cause en mouvement.

Donc tu visualises ce que tu veux avoir; tu commences à mettre ton action en marche et éventuellement, c'est ce que tu vas récolter. La récolte n'est pas toujours instantanée; c'est pourquoi la persévérance est un attribut indispensable pour l'être humain.

Cette grande loi de cause et effet existe pour chaque être humain. Elle s'occupe elle-même de faire récolter ce que l'on a semé. Alors pourquoi chercher à se venger ou à punir quelqu'un? On s'en veut, on arrête de se parler; on se boude, on se choque, on vit des colères, on se dit des bêtises; on veut changer l'autre, lui montrer que..., etc. Faire cela signifie: "Je suis *DIEU* et tu ne l'es pas; je vais te montrer à l'être!" *Si tu es DIEU, l'autre l'est aussi.* Si on t'a fait du mal, il n'en revient pas à toi de punir. L'être humain n'a pas le droit de faire ça. *La loi de cause et effet s'occupera de l'autre personne SELON LES INTENTIONS qu'elle avait envers toi.* Elle lui fera récolter ce qu'elle a semé. De là l'importance de se mêler de ses affaires et d'apprendre à accepter les gens tels qu'ils sont.

L'exercice de ce chapitre consiste à faire une liste de choses que tu voudrais récolter que ce soit pour demain, la semaine suivante ou même l'an prochain. Il n'y a rien de trop beau. Tu es sans limite car tout ce qui existe sur terre a été créé pour chacun de nous. Alors écris ce que tu veux récolter et commence à te mettre à l'oeuvre dès maintenant.

Pendant les trois prochains jours, deviens également plus conscient de tes attitudes négatives qui pourraient t'empêcher ou retarder de récolter ce que tu veux. Transforme-les en pensées positives.

L'affirmation à faire le plus souvent possible:

> **À PARTIR DE MAINTENANT, JE SÈME ET JE RÉCOLTE AVEC MES PENSÉES, PAROLES ET ACTIONS SEULEMENT CE QUI EST BÉNÉFIQUE POUR MOI.**

CHAPITRE 6
COUPER LES CORDONS/LE PARDON

Ce que j'entends par *cordons*, ce sont des *liens invisibles* formés depuis ta jeunesse. Ils ont été causés par l'influence d'une autorité quelconque : père, mère, grand frère, grande soeur, grand-père, grand-mère, oncle, tante, gardienne, voisine, professeur, etc. La moindre chose que tu as refusé d'accepter dans la façon *d'être* de ces gens a donné naissance à un lien invisible avec chacun d'eux. Retrace depuis ta naissance jusqu'à 7 ans, qui avait de l'influence sur toi, c'est-à-dire qui agissait comme parent.

De 0 à 7 ans, l'enfant possède un instinct animal. Il ne raisonne pas. Il accepte les choses telles qu'elles lui sont présentées comme le fait un animal. Cependant même si l'instinct prime chez l'enfant, son état *conscient* lui permet de prendre des décisions.

La première décision de ta vie fut de choisir tes parents. En les choisissant, tu acceptais de les aimer tels qu'ils étaient. Mais dès la naissance, tu aurais changé volontiers certains traits de leur caractère car une partie de leur façon d'être te dérangeait. Chaque attitude non acceptée a formé un lien. Ce lien invisible nettement présent entre vous occasionne une irritation intérieure. Il est justement là pour te faire signe que tu es exactement ce que tu n'aimes pas chez tes parents. Ceci s'applique également pour toute autre personne ayant exercé une influence *négative* sur toi.

Voici quelques exemples. Ton père était une personne renfermée. Il n'exprimait jamais ses sentiments, se retirait dans son coin et préférait ne parler à personne. Les conversations étaient quasi inexistantes et il n'a jamais su te révéler qu'il t'aimait. N'acceptant pas cette attitude, tu laissais la frustration s'emparer de toi. Regarde-toi maintenant. Te dévoiles-tu aux gens ? Dis-tu exactement ce que

tu penses au moment où tu parles? Ou bien dis-tu ce que l'entourage veut entendre? Tu vois tu es devenu exactement comme ton
père!

Ta mère se mêlait de tes affaires? Elle te limitait dans ton espace?
Elle te surprotégeait et te disait quoi faire? Selon toi c'en était trop,
c'était inacceptable... Regarde ce que tu fais maintenant. La même
chose! Si tu doutes d'être ainsi, demande à des personnes proches
ce qu'ils perçoivent de toi. On ne pourra s'empêcher de te répondre que tu es le vrai portrait de ta mère...

Si tu refusais d'accepter l'autorité de ton père, tu l'as maintenant
acquise. Tu l'exprimes peut-être autrement mais elle y est.

Tu n'acceptais pas la soumission de l'un ou l'autre de tes parents?
Regarde bien ce que tu fais dans la vie. Accomplis-tu quelque chose
parce que tu le veux ou parce qu'on t'y oblige?

Ta mère était une maniaque de la propreté? Et toi te laisses-tu
déranger par le désordre ou la saleté? C'est du pareil au même.

Suite à cette énumération, tu parviendras peut-être à trouver une
chose que tu n'acceptais pas de ta mère mais dont on ne trouve
aucune trace dans ton comportement actuel. C'en est d'ailleurs tout
le contraire, t'empresserais-tu de me dire. Je te répondrais que tu
t'efforces tellement à agir à l'opposé afin d'éviter de lui ressembler
que tu t'empêches d'être toi-même. Tout ce dont tu réussis à faire,
c'est d'être en réaction à ce que tu n'as pas accepté. Dans ce cas,
le lien sera beaucoup plus difficile à rompre.

Agir ainsi, c'est aller à l'encontre de la grande loi de l'amour. Tant
et aussi longtemps que tu chercheras consciemment ou non à être
quelqu'un d'autre pour fuir la ressemblance des gens qui t'ont
influencé, tu n'atteindras jamais la paix intérieure. Tes buts personnels ne seront qu'un amas de projets confus et ta présence sur
terre se résumera en un simple égarement.

La situation la plus difficile à accepter est celle impliquant de la
violence. Si tu n'as pas accepté d'avoir été battu, en pensant que
l'on ait agi injustement envers toi, ou que l'on t'ait fait violence,
tu dois à tout prix rompre ce lien avant que le *"venin"* ne s'empare
de toi. Tu n'as peut-être jamais ressenti le besoin de t'exprimer vio-

lemment mais en cherchant tout au fond de toi, tu y trouveras une violence prête à éclater dès que se présentera l'opportunité. Un de ces jours, elle te fera agir avec regret. Tu tentes peut-être de tout garder en toi. Ce combat intérieur s'éternisera et ne fera de toi qu'une victime. La seule façon de t'en sortir vainqueur est de rompre ce lien.

Remarque que tout ce qui n'a pas été accepté se répète continuellement dans ta vie. Ainsi tu te fais arriver des gens (patron, conjoint, enfant, ami, etc.) qui te dérangent constamment par leurs agissements. De plus cela se reproduira jusqu'à ce que tu comprennes qu'il y a un lien quelque part qui n'a pas été rompu. Souviens-toi que tout ce qui t'arrive est justement là pour apprendre.

Tu dois apprendre à aimer malgré l'indifférence, malgré la violence, malgré la surprotection et malgré le rejet. Si tu te sentais rejeté étant plus jeune, si tu sentais qu'on se serait passé de toi facilement, qu'on ne t'acceptait pas, qu'on ne t'aimait pas, tu vivras du rejet toute ta vie. Tu te sentiras constamment rejeté par les gens autour de toi. C'est pourquoi tu dois couper tous les cordons. Ainsi tu permettras à ton évolution de progresser.

Si tu es un parent aujourd'hui, quelle attitude as-tu envers tes enfants? Tu les disputes, tu les reprends, tu les mets en pénitence et tu leur dis des choses quelque peu choquantes! C'est par amour, non? Tu les aimes mais ils *doivent* comprendre. Il est fréquent de voir les parents perdre patience. C'est tout simplement parce qu'ils ne s'y prennent pas de la bonne façon. Ils n'aiment pas avec leur coeur tout comme leurs parents n'ont pas appris à les aimer avec leur coeur. Pour en arriver à rompre ce lien avec tes parents et devenir enfin toi-même, tu dois accepter que tes parents ou les gens qui les représentaient ont fait de leur mieux et ce au meilleur de leurs connaissances. Ils t'ont aimé du mieux qu'ils savaient. Ils ne pouvaient t'en donner plus car c'est la seule forme d'amour qui leur avait été enseignée.

L'indifférence exprimée par les parents peut être synonyme de confiance, le réalises-tu? On aime tellement son enfant qu'on le laisse libre de vivre sa vie. On a tellement confiance en lui qu'on le laisse prendre ses propres décisions. Cette forme d'indifférence est une grande preuve d'amour. Alors pourquoi aller croire qu'on nous délaisse? Regardons de plus près notre interprétation des faits, elle n'est peut-être pas la bonne.

Les parents critiques sont ceux qui voient trop grand pour leur enfant. Selon leur notion, leur enfant leur est supérieur. Ils ne peuvent donc tolérer le voir accomplir quelque chose à demi. Ils espèrent trop, ont beaucoup d'attentes. Il y a tout de même de l'amour derrière chaque critique puisqu'ils considèrent leur enfant comme une personne capable de bien faire les choses.

Nombreux sont les parents qui feront tout pour éviter que leurs enfants ne subissent le même sort qu'eux. Un homme soumis, plutôt faible devant l'adversité, utilisera de la violence envers ses enfants afin que ceux-ci deviennent forts et insensibles comme lui souhaiterait être. Il le fait par amour, non? Il utilise souvent la violence envers ses enfants tout simplement parce qu'il n'aime pas sa propre vie, sa vie de *résigné*. La mère *super-exigeante* envers sa fille illustre bien la même situation. Elle exigera la réussite totale dans tout ce que sa fille entreprendra afin de lui assurer une vie meilleure que la sienne.

La plupart des parents veulent que leur enfant ait plus qu'eux ou devienne mieux qu'eux. De là naissent les grandes attentes irréalistes. Toute protection démesurée ou sévérité excessive envers ses enfants est une manifestation d'un grand amour *possessif*. Plus on craint, *plus on aime avec sa tête*.

Souviens-toi de la définition de l'amour. *AIMER, c'est ACCEPTER même si tu ne comprends pas et même si tu n'es pas d'accord*. Il n'y a pas un enfant sur la terre qui soit complètement en accord avec la notion d'amour de ses parents parce que chaque personne est unique. Tout enfant aurait préféré être aimé différemment quel que soit son niveau social. Il aurait aimé que ce soit avec plus ou moins d'affection ou plus ou moins d'attentions, etc..., mais on ne peut changer personne. Chaque parent a sa façon d'être. Ils sont ce qu'ils sont, selon ce qu'ils ont appris.

Toi tu as l'opportunité d'apprendre qu'il existe une forme

d'amour beaucoup plus haut et beaucoup plus élevé que l'amour possessif. L'être humain a ignoré pendant des années l'existence de son potentiel intérieur. Son amour ne dépendait que des gens autour de lui. Alors comment pouvait-il enseigner ce qu'il ne connaissait pas?

Si tu accumules tout ce que tu aurais aimé changer chez tes parents, si tu te souviens de tous les désaccords et les reproches reçus, tu constateras qu'au fil des années ton cordon a atteint une grosseur incommensurable. Au fur et à mesure que tu constateras l'amour qui motivait chaque geste, chaque parole, tu couperas le cordon petit à petit jusqu'au jour où tu déborderas d'amour pour eux. Tu les verras différemment et tu réaliseras combien ils t'aimaient.

Chaque rancune que tu gardes envers les gens qui t'ont marqué par leur influence forme un lien qui t'emprisonne. C'est une des causes probables de l'insatisfaction que tu ressens intérieurement. Maintenant que tu sais qu'il y a quelque chose de tellement plus extraordinaire sur la terre que ce que tu vis présentement face à ces gens, ne crois-tu pas qu'en te libérant, tu permettrais à ton coeur de grandir davantage?

Pour rompre ce lien, il ne s'agit pas de comprendre le parent; ça c'est de travailler avec sa tête. Il suffit de vivre le sentiment d'amour que cette personne avait pour toi à ce moment-là. C'est à l'intérieur de toi que se trouve ce sentiment et non dans ta tête. Laisse *le raisonnement* de côté et *sers-toi de ton coeur*. Tu dois aller au-delà du raisonnement suivant: "C'est vrai, leur vie n'était pas facile. Ils avaient une grosse famille. Ils étaient pauvres. Maman vivait des choses difficiles". L'être humain aime tellement utiliser *sa tête* qu'il en oublie *son coeur*. Lorsque tu accepteras vraiment combien tes parents t'ont aimé (même si ce n'était qu'avec leur tête), tu ressentiras un grand élan d'amour envers eux.

Il se peut que tu aies des liens avec les professeurs de tes premières années à l'école primaire. Peut-être es-tu devenu exactement comme l'un d'eux? Examine ce qui aurait pu te déranger.

Depuis ta jeunesse, tu as tellement été en réaction avec ces gens et tellement préoccupé par la crainte de leur ressembler que tu as négligé d'être toi-même. Cet être extraordinaire qui est en toi est là et crie pour être découvert. N'entends-tu pas les appels de ton âme? Tu es le seul qui puisse la libérer de ses chaînes, de son isolement. Elle a besoin d'évoluer, de respirer et d'avoir son espace autant que les autres.

Une autre façon d'expliquer comment tu deviens comme l'autre personne dans sa façon d'être, c'est qu'inconsciemment tu laissais cette personne te dominer par son attitude. Si tu n'acceptais pas l'autorité, c'est que tu en étais dominé. En développant de la rancune face à cette attitude, tu as décidé sans t'en rendre compte que pour survivre et gagner sur les autres, on doit agir de même. Cette décision t'a rendu prisonnier.

Si tu continues de garder rancune à tes parents ou à une autre personne, c'est que ton orgueil prend du terrain. Tu refuses d'accepter. Tu crois sans doute que tout est injuste et insensé. Mais vois-tu, le prix à payer est très élevé; car en effet tu continues de te faire arriver les mêmes situations. Ça te coûte très cher dans tes relations, dans l'amour que tu reçois, dans ton bonheur et dans ta santé... Ton corps et ta superconscience ne cesseront de t'envoyer des signaux à l'effet que tu fais présentement des choses à l'encontre des lois de l'amour. Tu ne peux pas t'en sauver. Ne l'imagine même pas.

*La seule solution est le **PARDON***. D'abord demande-toi pardon d'avoir jugé la personne concernée. Ensuite tu pardonnes à cette personne ce que tu lui reprochais. Tu dois lui demander pardon de lui en avoir voulu et de ne pas avoir vu combien elle t'aimait. Tu fais tout ça intérieurement dans ton coeur. Quand tu crois l'avoir *vraiment* fait dans ton coeur, tu dois aller voir la personne concernée et le lui dire. Partage-lui ce que tu as vécu (sans nécessairement entrer dans tous les détails): "Je te demande pardon de ne pas avoir vu à quel point tu m'aimais. Je te trouvais trop... (tu mentionnes ce que tu n'aimais pas chez cette personne).

Si la personne concernée n'est plus de ce monde, retire-toi dans un endroit paisible et installe-toi pour faire une détente. Détends toutes les parties de ton corps. Lorsque tu seras vraiment détendu, imagine-toi mentalement dans une pièce assis avec cette personne à tes côtés. Parle-lui, dis-lui ce que tu ressens et demande-lui pardon. Même si le corps de cette personne n'est pas perçu physiquement, son âme y est toujours.

Toute rancune t'emprisonne et te lie à l'autre qui est aussi lié à toi de la même façon. Ce lien demande de l'énergie de part et d'autre. Alors en te libérant toi-même, tu libères l'autre automatiquement. Tu lui donnes de l'énergie et plus d'espace pour sa propre évolution et cela va de même pour toi. Tu aides la personne à poursuivre sa route même si elle est décédée.

En allant vers la personne en pensant qu'elle s'apitoiera sur ton sort, tu ne coupes le lien qu'à moitié ou encore si tu espères t'entendre répondre: "Pauvre toi, je n'ai pas réalisé que je t'avais fait tant de peine", tu n'es pas vrai dans ton coeur. Tu voudrais que l'autre prenne la responsabilité de tes émotions alors que c'est toi qui as choisi de décider que l'autre ne t'aimait pas.

Examine ce que tu vis, ce que tu ressens lorsque tu parles à la personne. T'exprimes-tu pour apprendre à l'aimer ou pour être compris? *S'exprimer signifie: manifester ce que tu ressens, ce qui vient de toi.* Que l'autre personne comprenne ou non qu'elle soit d'accord ou non, n'a vraiment aucune importance. Tu le fais pour toi afin de te libérer et non pour l'autre. Quand tu hésites par peur de blesser, de faire rire de toi, de ne pas être compris, c'est un signe que ton orgueil prend le dessus. Et voilà, c'est encore toi qui se punit dans cette histoire. Désires-tu te libérer ou non?

Si tu es l'aîné de la famille, tu as fort probablement plus de cordons avec tes parents que les autres enfants. Le premier enfant est toujours celui qui a le moins d'espace car on le veut parfait. On est donc plus exigeant envers lui. Si l'un ou l'autre des parents avait préféré avoir un garçon plutôt qu'une fille ou vice versa, ça indique que l'un ou l'autre n'a pas réussi sa vie en tant que femme ou homme; alors tu pourrais te sentir rejeté, non pas parce qu'il/elle ne t'aime pas; c'est lui/elle qui n'aime pas sa propre vie.

Prends courage. Regarde une situation à la fois, une journée à la fois et éventuellement, tu finiras par couper tous les cordons.

Un cordon que l'on retrouve fréquemment est celui concernant l'attitude envers l'argent. Chez nos parents, l'argent prenait une trop grande importance. Il fallait *"ménager"*. Leur bonheur ne dépendait que de leurs biens matériels. L'argent était synonyme de *sécurité*. Pour assurer ton bonheur, tu te devais d'économiser. Ils veulent que tu aies de l'argent parce qu'ils veulent te voir heureux. Telle est leur notion d'amour. Si tu es porté à tout mettre ton argent de côté ou à tout dépenser, tu es probablement en réaction face à l'attitude de tes parents.

Tu vois, quelle que soit la situation, il y a toujours moyen de voir qu'au fond tes parents t'aimaient. Selon les grandes lois naturelles, il est impossible pour des parents de ne pas aimer leurs enfants tout comme il est impossible pour les enfants de ne pas aimer leurs parents. Cet amour leur est tellement précieux. Ils sont le tout premier choix de ton âme avant même que tu viennes sur terre. Ton âme savait déjà ce que tu apprendrais avec eux. Le bien-être que tu ressentiras lorsque tu auras coupé tous les liens, que tu auras appris à aimer tes parents et à les respecter, à te pardonner et à leur demander pardon, ce sera merveilleux. Tu te sentiras tellement libéré que tu auras l'impression d'avoir perdu un gros poids. Tu te sentiras aussi léger qu'un oiseau prêt à s'envoler vers le ciel.

Si ta rancune est devenue de la haine, il est très urgent d'y voir. La haine est ce qu'il y a de plus destructif chez l'être humain. La haine apporte autant d'énergie que l'amour mais au lieu de guérir, elle détruit. Vivre de la haine déclenche des maladies très violentes. La haine détruit son maître. Il a été prouvé en laboratoire qu'en administrant le souffle d'un humain vivant de la haine dans le corps d'un rat, la mort s'ensuit instantanément. Chaque pensée de haine est tout comme une gorgée de poison. Le cordon, le lien provoqué par la haine est tellement gros que tes efforts devront être plus grands et soutenus.

Avant de passer au chapitre suivant, prends une feuille et écris tout ce qui a pu te déranger de 0 à 7 ans chez tes parents ou toute autre personne ayant exercé une influence sur toi. Prends une de ces attitudes qui représente un cordon et fais le processus d'accepter ta responsabilité, de voir l'amour dans le geste et d'aller l'exprimer à la personne concernée.

Si tu as très peu de souvenirs avant l'âge de 7 ans, fais la liste des gens qui voyaient à ton éducation avant cet âge et regarde ce qui te dérangeait chez eux pendant ton adolescence; tu trouveras exactement les mêmes choses qui t'auraient dérangé avant tes 7 ans.

Il est important d'accomplir cet exercice avant de passer au chapitre suivant; non pas pour moi, *mais pour toi*.

L'affirmation à répéter aussi souvent que possible:

> **JE PARDONNE À TOUS CEUX QUE J'AI JUGÉS ET JE ME LIBÈRE DES LIENS QUI M'EMPÊCHENT D'ÊTRE EN HARMONIE. J'AIME DE PLUS EN PLUS AVEC MON COEUR.**

S'il y a une personne en particulier avec qui tu as beaucoup de difficulté à voir l'amour, voici l'affirmation qui t'aidera à ouvrir ton coeur davantage:

> **JE PARDONNE ENTIÈREMENT À** ....
> **AU SUJET DE** ....(l'attitude en question)
> **ET JE NE LUI VEUX QUE DU BIEN.**

CHAPITRE 7
LA FOI/LA PRIÈRE

Qu'est-ce que la foi? Nombreuses sont les personnes qui confondent *foi* et *croyance*. Croire signifie *tenir pour vrai*. Si tu penses détenir la vérité, vis cette vérité si elle t'est bénéfique et répands-la. Que celui qui l'accepte, l'adopte et que celui qui la refuse, l'ignore. Vérité et croyances changent. Chacun a ses vérités et ses croyances.

La foi, c'est beaucoup plus profond. Les Écritures définissent la foi comme "l'assurance des choses que l'on espère et l'évidence des choses que l'on ne voit pas". Quand tu es motivé par la foi, tu as la certitude d'obtenir ce que tu désires. C'est ce qui distingue la foi de la croyance.

JÉSUS est venu sur la terre pour enseigner l'*AMOUR et la FOI*. Il est grand temps de mettre en pratique son enseignement. Quelque deux mille ans se sont écoulés avant que les gens commencent à le comprendre et à croire en sa puissance. *Avoir la foi, c'est croire, avec une confiance inébranlable en la présence de DIEU en soi*. On nous a enseigné à prier en disant: "MON *DIEU*, aide-moi". En le formulant ainsi, on s'adresse au *DIEU* à l'intérieur de soi. Si tu penses à *DIEU* comme à une entité éloignée qui doit s'occuper de toute la terre, il te sera difficile de croire que tes prières seront exaucées. Quand tu reconnais l'existence de ton propre *DIEU* intérieur, c'est-à-dire ce grand *DIEU LE PÈRE* qui est dans ton coeur et dans le coeur de tous ceux qui t'entourent, quand tu te vois comme une manifestation vivante de *DIEU* et quand tu crois à cette grande puissance à l'intérieur de toi, tu peux faire arriver tout ce que tu désires. Telle est la foi.

Il y a une histoire que j'aime beaucoup et qui décrit bien ce qu'est la foi. Un petit village subissait une grave sécheresse et les fermiers s'inquiétaient pour leurs récoltes. Après la messe du dimanche, ils ont demandé conseil au curé. "Il faut faire quelque chose, ça n'a pas de sens. Il n'a pas plu depuis un bon mois. On est en train de perdre nos récoltes. Que peut-on faire?" Le curé a répondu : "Vous n'avez qu'à prier avec foi. N'oubliez pas qu'une prière sans foi n'est pas vraiment une prière". Les fermiers se sont réunis plus de deux fois par jour pour prier et demander la venue de la pluie. Le dimanche suivant, ils s'en retournent voir le curé. "Monsieur le Curé, ça n'a pas marché. On s'est rassemblé chaque jour, on a prié et il n'y a toujours pas de pluie". Alors le curé leur dit : "Avez-vous vraiment prié avec foi?" Tous répondirent affirmativement. Le curé ajouta : "Moi je sais que vous n'avez pas vraiment prié avec foi car aucun d'entre vous n'a apporté son parapluie ce matin". Cette histoire illustre bien ce que signifie prier avec foi et agir dans la foi.

Quand on a la foi, on est convaincu d'obtenir ce que l'on désire. On fait souvent des exercices de foi sans en être conscient. Tu fais un acte de foi quand tu appuies sur le commutateur pour ouvrir la lumière. Tu sais sans l'ombre d'un doute que la lumière va jaillir.

Quand tu commandes une nouvelle voiture au garage, tu choisis le modèle, la couleur, les accessoires et tu signes ton contrat avec le concessionnaire. Il te dit : "Ne vous inquiétez pas, dans six semaines votre auto sera là. Je communiquerai avec vous dès que nous la recevrons". Voilà un autre acte de foi. Dans les six semaines qui suivent, tu as la certitude que ton auto va t'être livrée telle que tu l'as demandée. Pendant cette période, tu es porté à remarquer les autos identiques à la tienne et tu te dis : "Cette auto est pareille à la mienne". Tu peux déjà te visualiser assis dans ta voiture. Le laps de temps convenu étant écoulé, le concessionnaire t'appelle afin que tu puisses prendre possession de ta voiture. Tu as fait un acte de foi, n'est-ce pas?

Tu peux te faire arriver tout ce dont tu désires de la même façon : tu demandes une seule fois en sachant que le résultat est déjà là. Lorsque tu demandes la même chose plus d'une fois, c'est que tu doutes de l'obtenir. Cette grande puissance à l'intérieur de toi peut te faire arriver tout ce que tu désires.

Si tu formules une affirmation générale sans y mettre d'énergie, tu pries. Si en plus tu la visualises, tu pries avec foi. Imagine le résultat que tu recherches, vois en image ce que tu désires, et tu l'obtiendras.

JÉSUS l'a bien dit dans l'Évangile selon Saint-Marc : *"Tout ce que vous demanderez en priant, croyez que vous l'avez reçu et vous le verrez s'accomplir"*. Il faut voir ses désirs déjà accomplis. *"Tout est possible à celui qui croit"* ; la foi peut déplacer des montagnes.

Ton ***DIEU*** intérieur est relié à cette grande puissance universelle qui s'occupe de tout ce qui existe sur la terre, sur toutes les planètes, dans tout le cosmos. Regarde un peu autour de toi. Tu ne peux que développer ta foi en regardant cette belle harmonie dans la nature intouchée par l'être humain. Tu t'émerveilles devant la beauté du soleil couchant, l'immensité de l'océan, la paix du ciel étoilé. L'univers est en harmonie. Le soleil se lève tous les jours, la lune apparaît tous les soirs, les planètes évoluent dans l'espace, les marées montent et redescendent. Un grand plan divin règle toute cette harmonie. Pourquoi n'en ferais-tu pas partie?

Tout est déjà là ; voilà notre héritage divin ! Tu n'as qu'à demander ! ***DIEU*** t'a donné le libre arbitre c'est-à-dire qu'il te laisse mener ta vie comme tu l'entends. Tu as le droit de demander tout ce que tu désires dans la vie sauf ce qui appartient à autrui. Dans un tel cas, demande quelque chose de semblable, l'univers est assez généreux pour combler les besoins de chacun.

Nous sommes des millions à bénéficier du soleil, de l'air ou de l'électricité et il y en a amplement pour tous. Cette grande loi de l'abondance s'applique à tout ce qui existe. Pourquoi les belles richesses de la terre, tissus, bijoux, grandes maisons bien décorées, ou les belles qualités de l'être humain, comme la patience, la beauté intérieure, ***L'AMOUR***, n'existeraient que pour une poignée de gens? Tout dans le "avoir" ou le "être" nous appartient. Tu n'as qu'à réclamer ces belles choses. Ne crains rien, tu n'enlèves rien aux autres. L'héritage divin est universel.

La seule différence entre toi et une autre personne, entre les belles choses qu'elle fait ou possède et celles que tu juges impossible à réaliser, c'est ton niveau de foi. Tu n'as qu'à décider; "Oui, je le peux, j'ai tout à l'intérieur de moi pour réussir". Certaines choses ne t'intéressent pas, elles sont destinées à d'autres. Donc tout ce que tu aimerais faire t'appartient. Tu peux y arriver.

La foi ne vient pas de la tête. Elle vient de ta superconscience, qui elle te relie à *DIEU*. Tu peux imaginer *DIEU* comme un grand soleil; la foi, c'est le rayon de soleil qui t'unit à *DIEU*. Contrairement au raisonnement, la foi accepte sans demander comment ni pourquoi. Quand on a la foi, on a la certitude; on sait que ce que l'on désire est déjà là et que l'on peut se faire arriver n'importe quoi. Toutes les créations, toutes les grandes oeuvres ont été engendrées par la foi. Celui qui veut voir avant de croire n'a pas la foi. Si l'humanité pensait ainsi, peu de choses existeraient sur la terre.

Chaque fois que tu dis: "Quand j'aurai ceci ou cela, je serai heureux, je pourrai agir", tu as un manque de foi. Avec la foi, le "être" passe avant le "avoir". Tu décides ce qui te rendrait heureux (être), tu agis en conséquence et tu es sûr de le faire arriver (avoir).

Si le fait de partir en vacances avec ta famille pouvait te rendre vraiment heureux, l'acte de foi consiste à aller faire des réservations même si tu n'es pas certain de disposer de tout l'argent nécessaire. Une fois que tu prends ta décision et que tu donnes un petit acompte pour réserver l'endroit désiré, tu as fait un pas vers tes vacances. C'est un acte de foi.

Tu penses peut-être que c'est facile de croire qu'à ton réveil, le soleil se lèvera, ou encore qu'en semant des haricots tu récolteras des haricots. Crois-tu que ce sont des événements naturels? Te faire arriver ce que tu désires dans la vie est tout aussi naturel. Tu as la même puissance que *DIEU*, puisque tu es une manifestation de *DIEU*. Si *DIEU* peut faire lever le soleil tous les jours ou faire pousser une semence, tu peux aussi avoir une vie remplie de merveilles.

DIEU est une grande puissance universelle qu'il me plaît de comparer à l'électricité. On ne la voit pas, on ne sait pas d'où elle vient, pourtant on sait qu'elle existe. S'il fait noir quand tu entres dans une pièce, est-ce dire qu'il n'y a pas d'électricité? Non, c'est tout simplement que tu as oublié d'appuyer sur le commutateur. Chaque acte de foi que tu poses est comme le geste d'appuyer sur le commutateur pour obtenir la lumière désirée. Chaque acte de foi posé représente une lumière de plus. En augmentant tes actions, la lumière s'intensifie; tout devient de plus en plus clair, de plus en plus facile.

C'est simple, n'est-ce pas? En touchant un bouton, tu obtiens la lumière. Est-ce que cette lumière vient de toi? Non, elle provient d'on ne sait où. C'est la même chose dans ta vie. Chaque fois que tu utilises ta foi, c'est *Dieu* qui se sert d'un canal pour créer. Tous les êtres humains ont la même possibilité. En acceptant le **DIEU** en toi, tu acceptes que **DIEU** se serve de toi pour se manifester. Cependant, si tu utilises cette grande force pour nuire à quelqu'un, tu devras en payer le prix, tout comme si tu utilisais l'électricité ou le feu pour détruire. **DIEU** nous laisse le libre arbitre d'utiliser sa puissance de façon bénéfique ou non.

Tout ce qui existe dans le monde visible a d'abord pris naissance dans le monde invisible. Que ce soit un grand hôtel, un avion ou les vêtements que tu portes, tout a pris forme dans la pensée de quelqu'un avant de devenir réalité. La puissance de l'être humain est d'utiliser la grande puissance universelle pour créer.

On ne peut penser à quelque chose qui n'existe pas car ta pensée est reliée à la grande pensée universelle, comme chaque cellule est reliée aux billions d'autres cellules de ton corps. Si tu fermes les yeux et que tu imagines une belle plage, elle existe déjà ou elle existera un jour sur la terre. On ne peut pas imaginer ce qui n'est déjà là ou prévu dans le monde invisible. Il s'agit maintenant pour toi de le faire arriver par tes pensées et tes actions. Toute pensée prend forme dans le monde invisible; plus tu y penses, plus tu y mets de l'énergie, plus tu l'alimentes et plus elle arrive à se concrétiser dans l'univers matériel et visible. C'est ainsi que se crée un élémental.

À force de nourrir ce que tu as créé en pensée, tu rencontreras les bonnes personnes, tu choisiras l'action à poser, tu trouveras le bon endroit pour matérialiser cette pensée. Tu vois... si tu t'es fait arriver des choses qui n'étaient pas bénéfiques pour toi, c'est que tu les avais déjà créées dans le monde invisible. Utilise ta foi pour susciter des choses bénéfiques; il y en a une grande provision, elle est suffisante pour tous et chacun de nous. Il n'en tient qu'à toi d'aller chercher ta part.

Imagine qu'il y ait dans ton pays des réserves incroyables de blé. Que les gens se déplacent ou non pour aller réclamer leur part ne change rien à la quantité disponible. Dès que tu crées un désir, tu crées en même temps tout ce qu'il faut pour le matérialiser. Tu n'as qu'à puiser dans la grande réserve!

Ne perds pas un instant et commence à utiliser cette grande puissance qui est en toi; développe ta foi. Si tu commences à créer des choses agréables, ta vie prendra un autre tournant, tu seras plus heureux et tu partageras ton bonheur avec les autres. *On ne peut donner ce que l'on n'a pas*. Si tu es rempli de doutes, de peurs et d'inquiétudes, tu ne peux procurer de bonheur à quelqu'un d'autre. Commence à penser à toi et à te faire arriver de belles choses. Automatiquement, tu les sèmeras autour de toi.

Lorsque tu décides de partir en voyage, tu connais ta destination, tu n'as pas de doutes à ce sujet. Que tu choisisses comme moyen de transport une auto, un train, ou un avion, tu te laisses conduire. Tu sais que l'auto roulera bien, que le train ou l'avion connaît son itinéraire et se rendra à la destination prévue. Il est en ainsi avec la foi; tu détermines la destination - le bonheur, l'amour, la paix intérieure - et tu te laisses guider. Laisse-toi aller, lâche prise, abandonne-toi entièrement. Sois convaincu que tu as en toi tout ce qu'il faut pour te faire arriver de belles choses. En demandant tu recevras.

Quand tu auras la foi en toi, tu l'auras davantage envers les autres. Ce sera merveilleux. Tu ne te laisseras plus influencer par les gens qui trouvent la vie terrible. Tu réaliseras que tout se passe en dedans de toi. Tous ceux qui ont la foi pourront traverser des moments difficiles et connaîtront l'ère d'amour qui approche.

JÉSUS nous a parlé de la foi en ces termes: ''Ne soyez point inquiets pour votre vie, ne vous préoccupez pas de trouver à manger ou à boire ni à vous vêtir. La vie n'est-elle pas plus importante que la nourriture et le corps plus que le vêtement? Regardez les oiseaux; ils ne sèment ni ne moissonnent, n'ont ni cellier ni grenier et cependant le Père Céleste les nourrit. Ne valez-vous pas au moins autant qu'eux?'' Qui d'entre vous, en s'inquiétant ainsi, peut ajouter à sa taille la hauteur d'une coudée? Pourquoi vous tourmenter au sujet de vos vêtements? Regardez les lys des champs comme ils croissent. Ils ne travaillent ni ne filent; cependant, même Salomon dans toute sa gloire n'a jamais été aussi richement vêtu. Si *DIEU* a soin d'une fleur des champs que l'on coupera demain, combien aura-t-il soin de vous vêtir, hommes de si peu de foi. Ne vous demandez plus: "Que mangerons-nous, que boirons-nous et avec quoi nous habillerons-nous?'' Seuls les païens s'en préoccupent. Votre Père Céleste connaît vos besoins. Recherchez le Royaume de *DIEU* et Sa Justice et le reste vous sera donné par surcroît. Ne vous inquiétez pas du lendemain, car demain prendra soin de ces choses par lui-même. À chaque jour suffit sa peine''.

Ces paroles de Jésus nous invitent à *vivre le moment présent.* Rien ne sert de s'inquiéter en vue du lendemain. En acceptant que tu as la puissance de te faire arriver tout ce dont tu as besoin au fur et à mesure que tes besoins surgissent, il en sera toujours ainsi.

Tu n'as pas besoin d'amasser une fortune pour tes vieux jours, tu n'as pas besoin de souscrire à une foule d'assurances. Lorsque tu agis ainsi, tu crois que tu as assez de puissance dans le moment pour te faire arriver de l'argent mais que tu ne seras plus en mesure de le faire à 60, 65 ou 70 ans. Tu acceptes que tu as *DIEU* en toi mais tu crois que ce n'est pas permanent. Crois plutôt qu'en étant plus âgé, ta sagesse et ton expérience te permettront d'obtenir encore plus facilement tout ce que tu désires. Pourquoi amasser à l'excès? Ce qui importe, c'est d'avoir maintenant tout ce dont tu as besoin. Même si tu avais quatre réfrigérateurs débordant de victuailles, mangerais-tu tout leur contenu en un jour? Bien sûr que non!

Bien vivre, être entouré de beauté et répondre à tes besoins aujourd'hui, voilà ce qui importe. En rendant grâce de ce que tu reçois chaque jour, en vivant une journée à la fois, tu continueras à te procurer tout ce qu'il te faut. Demain dépend d'aujourd'hui. Si tu t'inquiètes pour demain, tu te feras arriver des choses désagréables. Si tu nourris exclusivement des pensées agréables, ta vie va prendre un tournant agréable.

Pour terminer ce chapitre, passe à l'action. Fais un acte de foi, quel qu'il soit. Choisis quelque chose que tu as toujours désiré obtenir, qui te rendrait heureux et décide que tu as toute la puissance requise pour la faire arriver. Mets ta pensée en action dès maintenant. Tu as peut-être à faire des réservations ou à entrer en contact avec quelqu'un. Agis sans tarder. Dans la vie, la réalité, c'est le "être" avant le "avoir". Si tu penses : "Lorsque j'aurai gagné un bon montant d'argent à la loterie, j'achèterai la maison de mes rêves et là je serai heureux", tu vas tout à fait à l'encontre des lois naturelles. Tu dois d'abord être heureux, puis faire une action en ce sens et enfin avoir ce que tu désires.

Tout en passant à l'action, répète très souvent l'affirmation suivante jusqu'à ce que tu passes au chapitre suivant :

JE CROIS EN LA GRANDE RICHESSE DIVINE QUI EST EN MOI ET J'Y PUISE TOUT CE DONT J'AI BESOIN EN TOUT TEMPS ET EN TOUT LIEU.

CHAPITRE 8
L'ÉNERGIE

Crois-tu avoir beaucoup d'énergie? En voudrais-tu davantage? Un spécialiste de Californie, qui effectue des recherches à ce sujet depuis plusieurs années, a affirmé que le corps humain possède suffisamment d'énergie pour maintenir une ville, telle Montréal ou New york, éclairée pendant un mois entier. Impressionnant, n'est-ce pas?

Tu seras sans doute de mon avis lorsque je te dis que la motivation et la satisfaction de faire ce qu'on aime engendrent automatiquement une hausse d'énergie en soi. Cette énergie favorise la réalisation et l'accomplissement de projets quelconques.

Exemple: une jeune femme revient à la maison après sa journée de travail. Elle est épuisée et vidée au point d'en négliger son repas du soir. Elle s'apprête à se reposer lorsque le téléphone sonne. Un ami, pour qui elle a beaucoup d'estime, lui annonce qu'il sera à sa porte dans une demi-heure. Il est facile d'imaginer la jeune femme s'empressant de tout côté pour cacher sa vaisselle, faire son lit, remettre de l'ordre dans l'appartement et courir chercher du vin au dépanneur. La sonnerie retentit à l'heure prévue. La jeune femme est dans une forme incroyable et tout est miraculeusement impeccable et fin prêt pour recevoir cet ami. D'où provient cette énergie? La motivation est, sans l'ombre d'un doute, la source de toute cette énergie.

Le manque d'énergie est un signal de ton corps et de ta superconscience qui t'avertit que présentement, tu agis, penses et vis d'une façon qui ne t'est pas bénéfique, et que, par conséquent, tu manques de vie et de motivation.

Utiliser inadéquatement son énergie peut aussi causer un man-

CENTRE D'ÉNERGIE – CHAKRAS

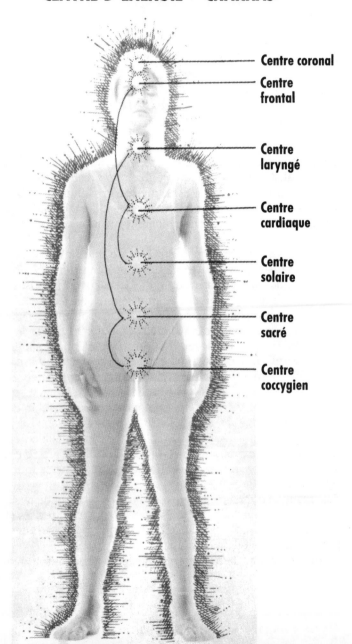

Centre coronal

Centre frontal

Centre laryngé

Centre cardiaque

Centre solaire

Centre sacré

Centre coccygien

que de vitalité. Le corps physique est entouré d'un autre corps subtil, invisible, que l'on nomme corps énergétique ou corps vital. Ce corps vital est formé de milliers de petites lignes entourant le corps physique. À sept endroits précis sur le corps, vingt et une de ces petites lignes se croisent pour former un centre d'énergie. À ces endroits, l'énergie y est beaucoup plus concentrée. En sanscrit, on appelle ces centres d'énergie les *"chakras"* du corps humain. Ils sont situés entre la base de la colonne vertébrale et le dessus de la tête.

Le schéma ci-joint démontre bien la localité des différents centres d'énergie. Le premier centre est le centre *coccygien*. Il est situé à la base de la colonne vertébrale. C'est le siège de la force physique et de la survie. Tu puises dans cette énergie lorsque tu éprouves de la rage, de la douleur, de l'irritation et de la peur. Si tu ressens de l'insécurité face à ta survie c'est-à- dire la nourriture et le toit au-dessus de ta tête, tu affectes cette énergie. Trop d'énergie concentrée à cet endroit peut provoquer des maux de dos et des troubles à la base du dos. De ce fait, le centre coccygien affecte directement les glandes surrénales qui produisent la cortisone et l'adrénaline nécessaires au corps. En vivant d'insécurité, de peur, de rage et d'irritation, tu épuises ton niveau d'énergie alors que tu pourrais y recourir pour maintes autres choses plus constructives.

Le deuxième centre d'énergie, le centre *sacré* est situé derrière les organes sexuels, entre le pubis et le nombril. La croisée des vingt et une lignes se situe derrière la colonne vertébrale, le long du dos. Cette région est le grand centre de l'activité sexuelle.

La reproduction est le but premier des organes sexuels. Ils y sont pour créer. Ce centre affecte celui de la gorge qui lui, à son tour, représente le centre de la créativité. Quand le centre sacré est trop actif, si l'énergie y est trop ou insuffisamment concentrée, les glandes sexuelles ainsi que la gorge peuvent donc en être affectées. Cette énergie est utilisée à travers toute activité sexuelle, ainsi que pour la passion, la haine, la colère, l'orgueil, la jalousie, l'égoïsme et la possession.

Si des moments de possession, de jalousie, de colère et de haine prennent le dessus dans ta vie, c'est que tu veux avoir trop de pouvoir sur les autres. Tu abaisses ainsi ton énergie pour ta vie sexuelle et ta créativité. Ceci provoque beaucoup de problèmes au niveau des organes sexuels, autant chez l'homme que chez la femme. Il peut se manifester de l'enflure dans le bas du ventre. Quand tu auras appris à te libérer de ces émotions destructives, à changer ta façon d'être et à maîtriser ton orgueil, une grande énergie s'élèvera jusqu'au centre de ta gorge et t'aidera à créer à profusion et développer tes dons et tes talents.

Le troisième centre est le centre *solaire*. Il est situé au-dessus du nombril, entre le nombril et le coeur. C'est le centre des émotions et des désirs. Lorsque tu vis de fortes émotions ou désirs et que tu te laisses déranger par ceux-ci, sans les exprimer, tu bloques ce centre d'énergie. Ainsi ton énergie se concentre au même endroit et il y a un manque de circulation d'énergie en toi ; d'où vient le manque d'énergie à chaque fois que tu vis de la culpabilité, du désappointement, de l'agressivité, de la peine et toute la gamme d'émotions mentionnées plus haut. Ce centre d'énergie agit directement sur le pancréas et tout le système digestif.

Le centre coccygien, le centre sacré et le centre solaire sont les trois premiers centres où l'activité domine chez l'être humain. Qu'une personne se sente insécure ou qu'elle laisse ses émotions l'emporter, son énergie est canalisée vers le bas du corps où sont situés les trois centres.

Le but de l'être humain est de parvenir à faire monter cette énergie vers la partie spirituelle de son être.

Les deux premiers centres représentent l'instinct animal chez l'être humain. Le centre solaire est à mi-chemin entre l'instinct et l'être spirituel. Les trois premiers centres touchent le ''avoir'' et les quatre autres centres touchent le ''être'' de la personne.

Le quatrième centre se nomme le centre *cardiaque*. Il est situé dans la région du coeur. Il est un centre de haute importance. Il est la source de l'amour et de la compassion. Ce centre affecte la glande appelée *thymus*, qui aide à créer l'immunité aux maladies. Il est malheureux de constater qu'il existe un pourcentage élevé de gens dont l'énergie du coeur est bloquée. Trop d'énergie au niveau des émotions et de l'intellect entraîne cette congestion. Tout est coincé vis-à-vis du coeur. Il y a fermeture. À mesure que tu apprends à accepter ta notion de responsabilité, à maîtriser tes émotions et à aimer les gens, ton énergie du centre émotif se dirige vers le coeur. Plus l'énergie circule librement de bas en haut et de haut en bas, plus tu pourras en consommer pour accomplir ce que tu désires faire de ta vie. Chacun de tes actes d'amour provoque une petite ouverture qui laisse circuler l'énergie au niveau du centre cardiaque.

On appelle le cinquième centre, le centre *laryngé*. Il est situé au niveau de la gorge. Il affecte directement la glande thyroïde qui elle, affecte tout le système nerveux, le métabolisme, le contrôle musculaire et la production de la chaleur du corps. Le centre laryngé est le centre de la créativité et de l'expression.

Ce centre est relié au centre sacré, là où se trouve l'énergie sexuelle. Comme on le sait, l'énergie de ce centre est la plus grande énergie de l'être humain. Donc, il y a toujours de cette énergie sexuelle qui monte vers la gorge. Si ton niveau de création n'est pas suffisamment exploité dans ta vie de tous les jours et si tu n'es pas vrai dans ton expression, tu utilises ton énergie inadéquatement. Cette carence se manifeste au niveau de la gorge et peut occasionner des maux de gorge, des difficultés dans ta voix et des laryngites. La glande thyroïde peut également en être affectée.

Pour rendre ce centre plus harmonieux, tu dois exprimer ton côté créatif. Ce peut être sous forme de hobby ou dans ton travail. Ta création peut s'avérer artistique, littéraire, musicale ou même florale. Afin d'approfondir cette harmonie, tu dois demeurer vrai dans ton expression; que ce soit en pensée, en paroles ou en actions. Fais des efforts quotidiennement, tu en seras récompensé. Il est rare de rencontrer des gens qui soient vrais à 100%, mais c'est possible et réalisable. Il s'agit de s'y mettre. La pensée, l'interprétation et l'exécution d'une chose doit être la même du début à la fin. On appelle ce centre, la porte de la libération. Lorsque l'apprentissage d'aimer avec ton coeur et d'être vrai a été accompli, ton énergie circulera et montera vers ta partie la plus spirituelle: les deux derniers centres.

Le sixième centre est le centre *frontal*. Il est situé au-dessus du nez, entre les arcades sourcilières et aide aussi au développement du *troisième oeil*. C'est la source des dons, des pouvoirs paranormaux, de la grande intuition, de la clairvoyance et de la clairaudience. Sa principale fonction est de développer la véritable individualité de l'homme. L'individualité prend forme à partir du centre laryngé. Les trois derniers centres mentionnés, soit les centres solaire, cardiaque et laryngé, représentent l'individualité de l'être humain. Si l'être humain demeure au niveau des centres inférieurs, il ne développera que sa personnalité. Si tu cherches à copier les autres, c'est que tu ne possèdes pas ta propre individualité. Tu dois l'acquérir pour devenir toi-même, ton propre maître.

Le septième centre s'appelle le centre *coronaire*. Il est situé sur le dessus de la tête. C'est le centre de la grande illumination. Sa haute fréquence est la source du *halo*, l'auréole entourant la tête des saints et d'êtres très spirituels. Elle est fréquemment démontrée sur certaines photographies à caractère religieux. Lorsque le centre est développé à son maximum, l'être humain peut vivre l'expérience du *JE SUIS*, l'union totale avec *Dieu*. *JÉSUS* a atteint cette grande union.

Les deux derniers centres, le frontal et le coronaire, te permettent d'accéder à un niveau supérieur par la pratique de la méditation et par le service aux autres. Ce dernier cependant doit être fait sans aucune attente, toujours par amour impersonnel, ce grand amour de l'humanité qui te permet de devenir un grand être spirituel.

Comme tu vois, l'énergie du corps humain provient de plusieurs sources: l'eau que l'on boit, l'air que l'on respire, les aliments que l'on mange, les pensées que l'on crée et par l'activité du corps énergétique (sa part d'énergie étant la plus volumineuse).

Les gens des générations passées n'étaient pas suffisamment conscients pour réaliser qu'ils pouvaient se procurer de l'énergie par le pouvoir de la pensée. Leur besoin de nourriture était d'ailleurs très grand. Plus une personne s'élève en pensée, plus elle se purifie et plus petit est son besoin de nourriture. En ayant un corps énergétique en harmonie, l'énergie circule librement et apporte à l'être humain sa plus grande ration d'énergie sans compter celle qu'il puise dans l'air et dans l'eau.

L'énergie est une grande force sur la terre. Il est très important qu'elle soit partagée équitablement, c'est-à-dire qu'il y ait un juste milieu : en donner et en recevoir.

Si tu donnes continuellement de ton énergie aux autres et que tu refuses d'en recevoir en retour, l'harmonie intérieure te sera difficile à atteindre. Plus la circulation d'énergie est juste, mieux c'est pour l'être humain. Plus tu mets d'énergie dans l'accomplissement de tes désirs, plus vite ils se réaliseront. Ceux qui veulent recevoir sans effort ignorent l'existence de la loi de l'énergie, de la puissance de l'énergie. L'échange d'énergie doit y être. Une vie de couple où l'échange d'énergie est inégal ne fera pas long feu. Les deux partenaires doivent se compléter et non avoir besoin l'un de l'autre. Ils sont ensemble pour s'entraider et grandir. Il en va de même entre parents et enfants. Il doit y avoir un échange d'énergie également réparti. Tes expériences personnelles te l'ont sûrement enseigné.

Le sentiment, le vécu et la sensation de vivre dans une maison qui t'a été donnée ne réussira jamais à te satisfaire autant que si tu l'avais gagnée ou construite toi-même. Plus on met d'énergie pour réaliser quelque chose, plus la valeur de cette chose est importante.

Il est malheureux de constater que certaines gens croient fermement que tout leur est dû, que tout peut s'obtenir pour rien. C'est pourquoi, d'ailleurs, qu'il existe tant de déséquilibre. Voici l'exemple d'une jeune fille handicapée dans son fauteuil roulant. Elle en veut à la société à cause de toutes les choses auxquelles elle ne peut aspirer dans la vie. Elle voudrait tout recevoir. Elle voudrait que la société entière et le gouvernement s'occupent d'elle. Elle s'isole dans sa chaise car elle ne sait faire autre chose. Elle ne réalise pas qu'il faut y mettre de l'énergie pour que la même situation devienne une richesse intérieure. Elle est beaucoup trop occupée à entretenir de la haine et des rancunes envers la société et le dessein de *Dieu*.

Ainsi, elle se sent de plus en plus malheureuse, elle se fait arriver un tas de maladies et ne fait qu'aggraver son handicap de jour en jour.

Pour terminer ce chapitre, je te conseille de t'asseoir et de faire un peu d'introspection, c'est-à-dire de regarder ta vie de tous les jours, ta vie affective, ta vie au travail et ta vie intérieure. Y mets-tu plus d'énergie que tout le monde autour de toi? As-tu l'impression de te vider de ton énergie pour les autres? Acceptes-tu de tout faire pour les autres, et par conséquent, ne plus avoir suffisamment d'énergie pour toi? Si oui, c'est que tu donnes avec des attentes et que tu as de la difficulté à recevoir ce qui cause automatiquement un stress intérieur, d'où naît une insatisfaction chronique.

Si la situation se présente avec tes enfants parce que tu te donnes à part entière sans rien demander en retour de peur de les blesser ou de les déranger dans leur vie, tu dois immédiatement changer cette relation. Elle ne t'est sûrement pas bénéfique. Tout d'abord, explique à tes enfants d'où provient cette nouvelle décision, fais-leur part qu'il devrait y avoir un échange d'énergie entre eux et toi. Si la même situation se présente avec ton conjoint ou au travail, c'est à toi que revient la décision d'apporter des changements et de te prendre en main, sans avoir peur de ce que les autres pensent. C'est pour toi que tu le fais et toi seul en bénéficieras.

Lorsque tu auras pris la décision d'équilibrer un peu plus ton énergie dans chaque domaine de ta vie, tu pourras passer au chapitre suivant. Voici l'affirmation à répéter aussi souvent que possible :

JE SUIS PLUS CONSCIENT/E DE MA GRANDE ÉNERGIE ET JE RÉAPPRENDS À L'UTILISER SAGEMENT.

À L'ÉCOUTE DE TON CORPS PHYSIQUE

CHAPITRE 9
MALADIES/ACCIDENTS

J'ignore ce que représente une maladie ou un accident pour toi mais la réalité n'est pas toujours ce que l'on pense. La majorité des gens expliquent la maladie comme une malchance dans leur vie, une quelconque injustice, surtout si la maladie est héréditaire ou contractée à travers quelqu'un d'autre. Penser ainsi est aller à l'encontre de la grande loi de la responsabilité.

Chaque maladie et accident survenus dans ta vie ont été provoqués par toi-même. "Qui veut se faire arriver des maladies?", me diras-tu. On le fait inconsciemment. La maladie est tout simplement un signal de ton corps. Ta superconscience, ton côté divin, ton *DIEU* intérieur t'envoie un message car certaines choses dans tes actions, pensées et paroles vont à l'encontre de la grande loi de l'amour, de la *loi de la responsabilité*. Il ne sert à rien d'en vouloir à la nature ou encore de se froisser à cause d'une maladie; il importe plutôt de capter le message et de remercier ROUMA de nous l'avoir envoyé. Quand tu ne le saisis pas, il suffit de te poser des questions: "ROUMA, aide-moi à trouver le message, je ne le comprends pas". En acceptant d'y voir, tu fais un acte d'amour envers toi-même. "Comment se fait-il que j'aie encore une grippe? J'en ai assez de ces grippes! Ça va faire", "j'ai encore une autre migraine", ou encore "mon mal de dos ne veut pas se passer". Par de telles exclamations, tu démontres et/ou refuses ta responsabilité. Aie de bonnes interrogations et ta superconscience te répondra. Sinon, tu accentueras la fréquence de tes maladies ou accidents.

Lorsque tu as compris, tu dois agir en conséquence, c'est-à-dire faire une action. Voici une situation qui explique bien ce propos: il fait nuit; ton voisin s'amène chez toi pour t'avertir que tu as omis d'éteindre les phares de ta voiture. Si tu refuses de répondre, celui-ci s'occupera d'attirer ton attention. Il reviendra donc sonner, non pas pour t'embarrasser, mais plutôt parce qu'il t'aime et qu'il veut t'aider. Si après maints avertissements, tu te bornes à ne pas vouloir agir, c'est toi qui trouveras la batterie de ta voiture à plat le lendemain matin.

Ta superconscience agit de même avec toi. Si tu fuis le premier message, ou si tu ne le comprends pas, elle t'en enverra un autre, et un autre encore, et ce jusqu'au jour où elle te fera arriver un bon gros cancer ou une bonne crise cardiaque. Quelque chose d'assez puissant pour te secouer et provoquer une réaction en toi. Et si tu refuses encore de réagir, tu en mourras, tout comme ta batterie d'automobile!

Alors ne serait-il pas préférable d'être plus attentif, plus alerte et plus à l'écoute de tes messages avant qu'ils ne deviennent trop forts?

Si tu remercies ton voisin de l'avertissement et tu lui promets de t'en occuper, tu dois faire une action immédiate: mettre ton manteau, te rendre à l'extérieur et fermer les phares de ta voiture. Si tu prétends t'en occuper sans rien y faire, il reviendra t'avertir à nouveau: "M'as-tu bien compris plus tôt?" Ta superconscience fait la même chose. Par ses messages continus, elle t'indique comment revenir sur la bonne route.

N'est-ce pas extraordinaire d'avoir à tes côtés ce grand ami qui te guide au moment où tu fais fausse route, qui est là tout entier pour toi!

Chaque malaise ou maladie est un message par lui-même. Mais le mal n'est pas uniquement physique. La métaphysique, qui signifie voir au-delà du physique, est là pour le prouver. Je te l'expliquerai par des exemples. Tu seras sans doute sceptique à tes débuts mais qu'as-tu vraiment à perdre en t'ouvrant davantage et en vérifiant par toi-même.

La gravité d'une maladie est aussi forte que son message. Lorsque la maladie persiste, c'est qu'il est grand temps d'y voir. Si elle est puissante, c'est qu'elle a bâti sa force depuis très longtemps.

C'est ton âme qui crie *"au secours!"*. Il est donc grand temps que tu reviennes sur la route de l'amour.

Voici les causes probables de certains malaises ou maladies. Souffrir d'*arthrite*, c'est d'avoir la conviction que l'on prenne avantage de soi mais les critiques intérieures ne sont jamais divulguées ouvertement. L'arthrite atteint les personnes qui ne savent pas refuser et c'est ce qu'elles émettent dans leurs vibrations. Les gens agissent envers elles selon ce qu'ils reçoivent : en prendre avantage. Le message de l'arthrite peut se lire comme suit : "Cesse de penser que tout le monde prend avantage de toi... Tu t'y soumets... Affirme-toi, dis non quand l'opportunité se présente... Lorsque tu choisis de rendre service à quiconque, fais-le, mais sans attentes. Cesse de critiquer et de vouloir changer les autres".

Le mal de *genou* signifie que l'on est trop inflexible, trop entêté. Bien souvent, c'est un signe que l'orgueil domine nos pensées. Une personne trop autoritaire qui refuse de plier dans son opinion a peur de ce que les autres peuvent penser d'elle. Elle tient à ses idées avec beaucoup d'entêtement. Si tu éprouves du mal à un genou, on te signale d'être plus flexible, d'arrêter d'avoir peur des "qu'en dira-t-on" et de te laisser aller à l'opinion des autres. Y a-t-il quelqu'un dans ta vie que tu voudrais qu'il ait une opinion identique à la tienne? Ton corps te dit que cette attitude ne t'est pas bénéfique et que tu vas à l'encontre de l'amour.

La *bouche* parle aussi. Tout malaise buccal désigne que tu as des opinions trop arrêtées. Ton esprit est trop fermé. Tu refuses de reconnaître un message dans l'opinion des autres. Si ce sont tes *dents* qui t'ennuient, c'est qu'il est grand temps de prendre une décision. Lorsque tu résistes à la prendre, c'est que les résultats te font peur. Il doit y avoir une situation dans ta vie présentement où tu as à prendre une décision. Ton corps te dit : "Ne crains rien. Quel que soit ton choix, il vient de toi. Tu es capable d'y faire suite. Tu peux provoquer les événements susceptibles de t'aider". Si le mal est au niveau des *gencives*, c'est que tu dois renforcer cette décision. On te dit : "N'aie pas peur. Tu as pris une décision, maintenant agis en conséquence".

Si tu as l'impression de manquer de soutien dans ta vie et que cela te dérange, ton corps t'en avisera par un mal de *dos*. La colonne vertébrale est le soutien du corps. Tu es sans doute le genre d'individu qui veut prendre la responsabilité de tous et chacun sur son dos et qui se sent responsable du bonheur et du malheur des autres. Mais cette responsabilité est tellement lourde qu'il te faudrait un soutien additionnel. C'est ce que tu n'obtiens pas. Ta superconscience t'envoie le message suivant: "Arrête de penser que tu es responsable du bonheur et du malheur des autres. Si tu veux soutenir quelqu'un, fais-le; mais fais-le de plein gré, par amour, et non pas parce que tu t'y sens obligé. Tu es le seul soutien de ta décision." Si le fait de prendre des responsabilités te permettait de te réaliser, c'est que tu es apte à le faire, que ce soit au travail ou dans différents domaines de ta vie. Dans ce cas, tu n'as besoin d'aucun soutien. Si tu ne pouvais l'accomplir, tu n'envisagerais jamais de t'occuper d'un tas de choses.

Lorsqu'une personne n'a pas assez de soutien, c'est qu'elle est "insoutenable", c'est-à-dire qu'elle souhaite que tous et chacun la soutiennent mais lorsque les autres offrent leur appui, ce n'est jamais à son goût. Éventuellement, ses proches se découragent et n'offrent même plus leur assistance ou leur soutien.

Si tu ressens de la douleur dans le haut du dos, c'est ton côté affectif qui est ébranlé, comparativement au bas du dos qui a trait au soutien matériel et monétaire.

Faire de la *fièvre* est souvent signe de colère intérieure prête à exploser. La seule façon d'y parvenir, c'est en bouffée de fièvre. Trop de désirs enfermés éclatent. Ton corps veut te faire comprendre qu'il faut "dire ce que tu as à dire, et ce au fur et à mesure que les situations se présentent. Cesse de tout garder en toi. La colère ne t'est pas bénéfique. C'est toi-même que tu punis".

Lorsque des problèmes de *bras* surviennent, c'est que tu n'es pas conscient de ton utilité et de ta valeur. Tu t'imagines souvent qu'on ne t'apprécie pas. Tu crois ta valeur moindre que celle des autres. Ton corps a un message à te dire: "Regarde combien tu es utile, là où tu es. On a vraiment besoin de toi. On t'apprécie". Cette manifestation peut aussi révéler qu'il y a une situation bénéfique présentement dans ta vie que tu n'oses pas saisir au passage. Ce peut être aussi la façon dont tu occupes tes bras et tes mains qui ne te satisfait pas. Tu préférerais faire autre chose. Ceci arrive fréquemment dans le travail. Exerces-tu vraiment le métier qui répond à tes aspirations? Surveille à quel moment le mal surgit. On essaie de te dire : "Vas-y, agis selon tes désirs intérieurs, arrête d'avoir peur".

Tu as besoin de tes *jambes* pour aller là où tu veux, pour avancer. Un problème ou un mal de jambe signifie que tu as peur d'aller de l'avant, tu as peur de l'avenir. Ta superconscience est toujours là pour te faire part que tu n'as pas à t'inquiéter. Tu es capable d'accomplir ce que tu veux. Vas-y, fonce. Tu peux faire arriver tout ce que tu veux au moment où tu en as besoin. Si tu prévois changer de travail mais que tu crains pour ta sécurité financière, ton mal de jambe te fait signe que le temps est favorable à ta décision, qu'il n'y a pas de peurs à y avoir.

Nombreuses sont les personnes qui attribuent le mal de *gorge* à un froid ou à un abus de cordes vocales. La gorge est la voie de l'expression. Ta superconscience te conseille de t'exprimer à quelqu'un. Tu as présentement peur de t'exprimer. Tu dissimules une colère. On t'a sûrement affecté par des propos blessants. Ton étonnement était tel que tu n'as rien répondu, tu as tout avalé, tu n'as pas réussi à voir l'amour dans chaque parole. Très souvent, on n'est même pas conscient que certaines paroles nous ont blessés. On aime mieux se faire accroire que ça nous a laissé indifférents. C'est moins menaçant ainsi, mais ton for intérieur (âme) le sait. Et voilà que ce comportement s'est transformé en un mal de gorge. Le geste à poser est d'aller t'exprimer à cette personne et lui partager ce que tu as vécu au moment où ses propos t'ont blessé.

Dans le cas d'une *laryngite*, tu es non seulement effrayé de t'exprimer mais aussi de donner ton opinion. Tu as dû refouler une réplique alors que tu faisais face à une certaine autorité. Pour éviter sa réaction, tu as préféré taire ton opinion. Ne te laisse pas impressionner. Donne ton avis. Ton interlocuteur sera ravi par l'intérêt manifesté et l'honnêteté de tes propos.

Si ta laryngite cache colère et rancune, tu dois t'en délivrer et l'exprimer à qui de droit. Voici ce que je suggère de dire : "J'ai peur de ta réaction en ce moment. J'ai peur que ça te blesse mais je dois te parler. Je le fais pour moi. J'ai besoin de te donner mon opinion". Si tu retardes de l'exprimer, tu accumuleras colère par-dessus colère et rancune par-dessus rancune. En plus tu sais qu'agir ainsi ne t'est pas bénéfique. Si ta laryngite persiste, c'est que tu n'es pas à l'écoute de ton corps.

L'*incontinence urinaire* chez l'enfant (mouiller son lit) signifie que celui-ci éprouve une grande crainte face à un parent. Ce peut être le père, la mère ou toute autre personne représentant l'autorité. La peur n'est pas nécessairement physique. L'enfant aime tellement ce parent qu'il craint de lui déplaire. Il n'ose jamais agir à l'encontre des désirs de celui-ci. Cette attitude n'est pas bénéfique. Il se prive d'un bien-être et il n'est jamais lui-même. Il est très important de reconnaître ce phénomène et chercher à couper le cordon avec le parent concerné.

Si tu as un enfant avec ce problème, explique-lui qu'il n'a pas à faire plaisir à qui que ce soit : ni à son père ni à sa mère. Ses expériences sont les siennes et quoiqu'il fasse il n'a pas lieu d'avoir peur de déplaire. Encourage-le plutôt que de le reprendre. Il en sera beaucoup plus épanoui.

Quelqu'un qui *tousse* très souvent, de jour en jour, est un être étouffé par la vie. Il expérimente une grande nervosité. Il se sent compressé par une situation quelconque. Par contre, une toux temporaire ou occasionnelle est un signe d'ennui ou de critique. La toux surgit au moment même où la personne est ennuyée et se critique ou critique quelqu'un d'autre intérieurement. Son corps tente de lui dire : "Veux-tu bien arrêter de critiquer ou d'être ennuyé. Cherche plutôt à voir le message qui t'est désigné, ou à accepter ce qui se passe présentement".

Les *intestins* représentent l'endroit du corps où l'on assimile les aliments pour les transformer en éléments nutritifs. Le cheminement des idées est le même. Lorsqu'une personne souffre de constipation, c'est qu'elle s'accroche trop à ses vieilles idées. Elle ne fait pas de place pour les nouvelles idées. Ce peut être un signe de mesquinerie; quelqu'un qui retient ses choses, ses biens matériels. Sa superconscience lui dit qu'il est grand temps de décrocher, de laisser faire et de laisser aller les choses du passé.

Avoir la *diarrhée* signifie tout le contraire. On laisse passer les idées trop vite, on refuse d'accepter les idées nouvellement arrivées. On a peur de ce qui s'en vient. On voudrait que tout se déroule plus rapidement. On voudrait que tout soit déjà fait, vécu. La diarrhée indique souvent le rejet, c'est-à-dire se rejeter soi-même ou avoir peur d'être rejeté par quelqu'un d'autre. Le corps envoie le message qu'il est inutile d'avoir peur. Tes peurs sont le fruit de ton imagination.

Il y a des peurs qui sont parfois bénéfiques dans la vie. Par exemple: tu te prépares à traverser la rue lorsqu'un camion s'amène. Il est bénéfique pour toi d'avoir peur. C'est ce qui te fait arrêter et reculer pour éviter de te faire frapper. Tu reçois des signaux uniquement lorsqu'une peur n'est pas bénéfique.

Les problèmes de *reins* affectent les gens qui critiquent et qui sont souvent désappointés ou frustrés. Ils croient que rien ne leur réussit. Ils s'apitoient sur leur sort. Ces pensées ne sont pas bénéfiques; tel est le message de la superconscience. Comme ils provoquent ce qu'il leur arrive, ils doivent maintenant en prendre toute la responsabilité.

Les douleurs aux *seins* sont dues à une attitude trop autoritaire, trop tranchante envers quelqu'un. Ce n'est pas bénéfique ni pour l'une ni pour l'autre des personnes impliquées.

Un malaise aux *yeux* indique que tu te laisses déranger par ce que tu vois autour de toi. Ton corps te dit que ce n'est pas de tes affaires. Si ça te concerne et que ça touche ton espace, prends les moyens nécessaires pour changer la situation. Le même phénomène se produit pour les *oreilles*. Tu te laisses déranger par ce que tu entends. Ceci est aussi valable pour le *nez* qui te dit que tu te laisses déranger par quelque chose ou quelqu'un que tu ne peux *"sentir"*. Ce sont des signaux de ton corps. Ils te démontrent que tu n'es pas bien ainsi. Ce n'est pas bénéfique de te laisser déranger. Si c'était bénéfique pour toi, tu ne recevrais pas de messages.

Un *accident* signifie que tu ressens de la culpabilité. Exemple : tu te frappes un bras, accidentellement, me diras-tu ! Tu as mal certes mais le fait de t'être provoqué cet accident révèle bien la présence de culpabilité. L'être humain a ce réflexe de se déculpabiliser par la punition ! Exemple : tu épluches des pommes de terre et tout en le faisant, tu te mets à penser à autre chose, tu t'exclames soudainement ''J'ai encore oublié telle chose, que je suis donc idiot !'' Tu t'en veux tellement que tu en arrives à te couper le bout du doigt ! Aussitôt que tu ressens de la culpabilité, ton corps te le signale par un incident ou encore mieux, un accident.

L'accident est un avertissmeent de plus pour que tu prennes conscience qu'il est inutile de te sentir coupable. Tu passes ta vie à te sentir coupable pour des choses dont tu ne l'es même pas. Fais le bilan de tes accidents, tu comprendras.

Ce que tu viens de lire est un petit aperçu de métaphysique (qui veut dire, au-delà du physique). Aussitôt qu'il y a malaise ou maladie, tu mets toutes les chances de ton coté en regardant non seulement la cause physique mais au-delà du physique.

Dans un prochain livre, tu pourras lire la description complète de tous les malaises et maladies connues.

Pour bien terminer ce chapitre, assieds-toi et fais une liste de tous tes malaises. En deuxième lieu, remercie ROUMA pour les messages et demande à ta superconscience de t'en donner la signification.

Tu vois, chaque malaise, maladie ou accident n'est tout simplement qu'un avertissement. La maladie ou le malaise cesse aussitôt que tu en as compris le message. Ça ne prend pas plus d'énergie pour le/la faire arrêter que pour le/la faire arriver. Ce n'étaient que des énergies mal utilisées. Une fois ta maladie disparue (ou ton malaise) remarque toute l'énergie supplémentaire qui fait surface. Ça prend beaucoup d'énergie pour être malade...

Une maladie qui s'éternise signifie : désirer le pouvoir sur quelqu'un avec cette maladie. Si tel est ton cas, regarde sur qui tu veux exercer un pouvoir. Ce n'est pas bien sage que de vouloir obtenir le pouvoir grâce à la maladie. Le vrai pouvoir est celui de l'amour !

Avant de passer au chapitre suivant, occupe-toi d'au moins un malaise. Prends le plus petit s'il le faut, trouve la signification et fais-le disparaître. Ainsi tu y croiras davantage.

Voici ton affirmation. Répète-la aussi souvent que possible jusqu'à ce que tu débutes le prochain chapitre.

> **J'AI DE PLUS EN PLUS CONFIANCE EN MON CORPS, MON GRAND GUIDE, ET EN RETOUR IL ARRÊTE DE SE RÉVOLTER ET DE RÉAGIR, M'AIDANT À RETROUVER LA PAIX, LA SANTÉ, L'AMOUR ET L'HARMONIE.**

CHAPITRE 10
TU NOURRIS TON CORPS PHYSIQUE COMME TU MÈNES TA VIE

Ton corps physique est la machine la plus extraordinaire qui existe sur la terre. Aucun être humain n'a encore réussi à concevoir ou à bâtir une réplique de cette merveille. Il a été affirmé théoriquement que si l'on tentait de construire un ordinateur aux mêmes fonctions que celles du cerveau humain, cet ordinateur serait à la dimension de la terre entière. Dans le moment, l'être humain utilise entre 5% et 10% des facultés de son cerveau, infime partie de son corps physique.

Dès la naissance le corps sait comment être un corps. Nul besoin de lui apprendre à dormir, avoir soif, pleurer, éternuer, transpirer, avoir chaud, avoir froid, éliminer, digérer, bâiller, vomir, avaler, rire, bouger, saigner, se cicatriser, etc. Il le sait déja instinctivement. Il connaît aussi ses véritables besoins : sommeil, nourriture, éléments nutritifs. On oublie tout simplement de lui faire confiance à ce sujet.

La mère fait confiance au bébé qui vient de naître. Elle attend qu'il demande son biberon, elle connaît ses pleurs, elle guette son réveil. Cependant, aussitôt qu'apparaît sa première dentition, elle décide pour lui de la fréquence de ses repas : ***pas moins de trois par jour.***

Ainsi, après quelques mois de vie, on ne permet plus à l'enfant de faire confiance à son corps physique. Il connaît pourtant ses vrais besoins. Même s'il ne raisonne pas de 0 à 7 ans, le jeune enfant accumule tout ce qu'on lui enseigne. Il apprend à nourrir son corps selon la décision de ses parents. En ne lui faisant pas confiance, on l'empêche de découvrir ce dont il a vraiment besoin, au moment où il en a besoin. Devenu adulte, cet enfant ne saura reconnaître les vrais besoins de son corps.

C'est pourquoi il est intéressant de constater maintenant que notre façon de nous alimenter correspond à notre façon de vivre.

De quelle façon t'alimentes-tu? Est-ce de façon routinière c'est-à-dire déjeuner, dîner et souper à heures fixes? Te nourris-tu sans te poser de questions car tu es convaincu d'avoir à le faire de cette façon? Alors, c'est que tu agis ainsi dans ta vie. Dans beaucoup de situations, ce n'est pas toi qui mènes. Tu fais un tas de choses parce que tu crois avoir à le faire ainsi. Tu ignores pourquoi, tu supposes que ce doit être comme ça.

À ce sujet, j'aime beaucoup raconter l'histoire de la jeune mariée qui coupait toujours les deux extrémités du jambon avant de le placer dans la casserole pour le faire cuire. Son mari intrigué l'interroge quant au motif de ce geste. Elle de répondre : "Je ne sais pas, ma mère faisait cuire son jambon de cette façon". Curieux, le jeune homme demande un jour à sa belle-mère la raison pour laquelle elle coupait les deux bouts du jambon. Sa réponse fut la suivante : "Je ne le sais pas, ma mère le faisait cuire ainsi". Il profite d'une rencontre familiale pour poser la même question à la grand-mère. Elle lui dit : "Tu sais, mon p'tit gars, quand j'étais jeune ma famille était très pauvre. Nous n'avions qu'un chaudron et beaucoup trop petit pour faire cuire le jambon alors on en coupait les deux bouts". Cette histoire illustre bien tout ce qu'on peut faire dans la vie sans savoir exactement pourquoi. Par habitude, on répète les mêmes gestes.

Accordes-tu beaucoup d'importance aux principes et aux traditions? Si oui, vérifie ton alimentation. Tu manges probablement aux mêmes heures. Tu manges par principe parce que tu penses que tu dois manger. Tu as peur d'avoir faim si tu ne le fais pas. Si tu dois t'absenter pour une soirée et que tu t'obliges de souper avant de partir, de peur d'avoir faim plus tard, c'est que tu agis de même dans ta vie. Tu agis par peur de... Tu agis de peur de ce que les autres vont dire ou penser de toi. Tu n'es pas toi-même. Tout comme pour la nourriture, tu décides d'avance ce qui devrait être fait.

Ton corps sait très bien quand il a faim. Il est capable de demeurer des semaines sans aliments, sans que tu ne deviennes malade. Si tu ressentais la faim deux ou trois heures avant de pouvoir manger, parle à ton corps comme ceci : "Attends ROUMA, ce ne sera pas long. Je vais te donner à manger un peu plus tard". Ne sois pas inquiet non plus de trop manger. Quand tu donnes à ton corps ce dont il a besoin, au moment où il en a besoin, il sait aussi quand s'arrêter.

Si tu découvres que tu es une personne qui a beaucoup d'habitudes alimentaires, tu découvriras aussi que les "que vont-ils en penser?", "que vont-ils dire?", "que vont-ils faire?", ont beaucoup d'importance pour toi. Alors, au lieu de penser, d'agir, de t'habiller à ta façon comme tu entends le faire, même si cette façon n'est pas "habituelle", tu appréhendes souvent la réaction des autres et tu n'es plus toi-même. Tous ces petits détails te créent de l'insatisfaction... n'en cherche plus la cause! Apprends à connaître tes vrais besoins.

Te nourrir par habitude te révélera aussi que la notion de "bien et de mal" a beaucoup trop d'emprise sur toi. Tu es sûrement trop catégorique. Tu décides que telle chose est bien ou que telle chose est mal, lorsqu'en réalité, il n'y a ni bien ni mal dans la vie. Ce qui est "bien" pour quelqu'un peut être "mal" pour un autre. C'est pour cette raison que je te conseille d'utiliser les mots "bénéfique" ou "non bénéfique" au lieu de "bien" et "mal". Regarde ce qui est ou n'est pas bénéfique pour *toi*. *Ce que les autres vivent leur appartient*. Ils apprendront par eux-mêmes. Même si leur façon d'être ou d'agir correspond à ta notion de "mal", cette façon peut leur permettre de récolter quelque chose de fantastique.

Tu peux te nourrir par habitude et agir par habitude. Cela appartient à la dimension mentale. Mais tu peux aussi découvrir que tu te situes davantage dans la dimension émotionnelle en observant ta façon de te nourrir.

Lorsque tu étais jeune enfant, tu mangeais et buvais par émotion car, bien souvent, la nourriture était compensatoire. Regarde ton attitude aujourd'hui... Lorsqu'un enfant se fait mal, se blesse, on lui donne un bonbon ou un biscuit pour le consoler. Lorsqu'il a

95

besoin d'attentions, on lui donne quelque chose à manger. S'il est de mauvaise humeur, s'il est en colère ou s'il a eu une dispute avec un copain, on le manipule encore avec de la nourriture en lui disant: "Si tu es raisonnable, si tu es gentil, je t'amènerai au restaurant ou je te donnerai un cornet de crème glacée pour te récompenser". Ou encore, on le punit en lui enlevant son dessert au repas ou en le privant de sa collation. La plupart des mères agissent ainsi et ces habitudes prennent beaucoup d'importance dans la vie de leurs enfants et par la suite, dans leur vie d'adulte. Ce qui t'a le plus impressionné de 0 à 7 ans a déterminé l'importance de la dimension mentale, physique ou émotionnelle dans ta vie d'aujourd'hui. Tes réactions d'hier (0 à 7 ans) sont tes indices pour retracer l'origine de ton vécu actuel.

Que fais-tu présentement? Bois-tu ou manges-tu par émotions, pour passer le temps, te consoler ou te récompenser? Si tel est le cas, tu laisses ta dimension émotionnelle contrôler ta vie alors que tu devrais en être le seul maître. Dans un prochain chapitre, je t'expliquerai comment parvenir à maîtriser tes émotions.

Si tu manges ou bois par appétit, c'est que ta dimension physique agit considérablement sur toi. Qu'est-ce que manger par appétit? Manger par appétit signifie désirer quelque chose pour la satisfaction des sens. Exemple: tu n'as pas faim du tout. Mais en passant devant un marchand de confiserie, tu aperçois une variété de cornets de crème glacée. Tu les trouves alléchants. Puis ne pouvant y résister, tu décides d'en prendre un alors que quelques minutes plus tôt, tu n'y pensais même pas. Le simple fait de voir les cornets t'a donné l'idée d'en manger. Quand un de tes sens te donne le goût de manger ou de boire quelque chose qui ne te serait pas venu à l'idée avant de le voir, de le sentir, d'en entendre parler, d'y goûter ou d'y toucher, alors tes sens prennent définitivement le dessus à ce moment ou ailleurs dans ta vie. Autre exemple: tu entres au cinéma après un copieux repas et tu es vraiment rassasié. Cependant l'odeur du "pop corn" agace tes sens et aussitôt tu en achètes. Voilà ce qu'est l'appétit.

Par contre si tu es au travail alors qu'il est onze heures du matin et que le goût te prend pour une bonne pâtisserie et que tu en fais l'acquisition à l'heure du dîner, ce n'est pas de l'appétit. Ce ne sont pas tes sens qui ont fait naître le désir de manger. Tu as désiré cette pâtisserie avant de la voir, de la sentir ou d'en entendre parler. Tu y as pensé avant que tes sens ne suscitent soudainement ce choix.

Il y a un tas d'autres choses que tu peux faire par appétit. Tu peux magasiner par appétit, dormir par appétit, faire l'amour par appétit. Observe-toi un peu. Que fais-tu par appétit? As-tu de la difficulté à maîtriser tes sens? Si oui, la dimension physique n'est pas contrôlée, elle n'est pas en harmonie chez toi.

Lorsque tu t'aperçois que tu agis assez souvent par appétit, c'est que tu reçois un message de ta superconscience. ROUMA te dit qu'il y a un ou plusieurs de tes sens qui ne sont pas satisfaits, psychologiquement. Ce peut être la vue, l'ouïe, l'odorat, le goûter ou le toucher.

La vue : tu te laisses déranger par ce que tu vois présentement. Ton corps te dit : "Ce qui te dérange dans ce que tu vois ne te concerne pas. Ce n'est pas de tes affaires" ou bien "fais quelque chose en relation avec ça, plutôt que de continuer de te laisser déranger". *L'ouïe* : tu te laisses déranger par ce que tu entends, à la maison ou ailleurs. Il est grand temps d'y voir. *L'odorat* : y a-t-il quelqu'un ou quelque chose que tu ne peux pas sentir? Ta voisine, ton patron ou même ton mobilier de salon? *Le toucher* : ta vie affective te satisfait-elle? Si tu n'as pas assez d'affection, qui a oublié d'en semer? Si tu veux en récolter, sèmes-en! Les signes d'affection sont simples et nombreux : une parole, une carte, une fleur, un petit mot d'amour, un geste affectueux. Tu peux te prodiguer toi-même de l'affection! Ne t'oublie pas! Commence à en semer autour de toi et tu en recevras. *Le goût* : si tu manges par appétit pour satisfaire ton goût, c'est que ta vie sexuelle est insatisfaisante. À toi d'y apporter les changements nécessaires.

À chaque fois qu'un de tes sens n'est pas satisfait, et que ça te concerne personnellement, prends une action. Si cela concerne quelqu'un d'autre que tu voudrais changer afin d'être toi-même plus heureux, ton corps te dit de te mêler de tes affaires et de laisser l'autre mener sa vie comme il l'entend. Il est très dangereux de faire dépendre son bonheur des autres!

Quelle que soit la dimension qui a le plus d'emprise sur toi, tu dois la maîtriser. Si c'est la dimension mentale, questionne-toi davantage. Tu fais sans doute trop de choses par habitudes. Il serait donc important de t'arrêter avant de parler ou d'agir. Questionne-toi comme suit: "Est-ce que c'est vraiment cela que je veux faire? Est-ce que c'est ça qui me rendrait heureux? En ai-je vraiment besoin?" Prends quelques instants pour te poser des questions.

Si c'est la dimension émotionnelle, apprends à exprimer tes émotions (on en reparlera un peu plus tard).

Si c'est la dimension physique, arrête-toi et demande-toi: "Lequel de mes sens n'est pas satisfait?" passe-les en revue, un après l'autre et identifie ce qui n'est pas comblé. Ce peut être ce que tu vois, ce que tu entends, ce que tu sens, ta vie affective ou ta vie sexuelle. Scrute bien au fond de toi-même et tu auras ta réponse.

En suivant cette méthode, tu découvriras beaucoup de choses sur toi-même. Tu verras que tu te promènes d'une dimension à l'autre mais qu'il y a toujours une dimension moins harmonieuse ou plus déficiente.

Éventuellement, tu constateras que tes impulsions alimentaires sont provoquées par la faim. Dès lors, tu sauras que des changements intérieurs se sont produits. Même tes goûts se transformeront au fur et à mesure que tu changeras ta façon de penser.

Ton corps est tellement extraordinaire qu'il sait exactement ce qu'il a besoin et à quel moment il doit manifester ce besoin. Le corps est constitué de six éléments essentiels: les six éléments nutritifs. Il est composé d'eau, de protéines, de vitamines, de glucides (sucres et hydrates de carbone), de lipides (gras essentiels) et de minéraux. Alors chaque fois que le corps est dépourvu d'un ou de plusieurs de ces éléments, il envoie un message à ton cerveau pour le lui signaler. Ton cerveau te donne alors le goût de manger quelque chose qui répond à cette lacune.

Alors tu vois, tu n'as pas à te préoccuper quant au choix de ta nourriture et au moment approprié pour la consommer. Si tu fais confiance à ton corps, tu sauras exactement quand tu as vraiment faim et de quoi tu as besoin. Il est inutile de nourrir ton corps au cas où il aurait faim si dans le moment présent il ne manque de rien. Quelle que soit sa carence (fer, calcium, protéines, gras ou sucre), ton corps se charge de te donner le goût de manger ce qu'il lui manque. Ton cerveau, ce grand ordinateur a enregistré tout ce qu'il a goûté depuis ta naissance et sait exactement ce que chaque aliment contient. Aussitôt que ton corps a besoin de quelque chose, il envoie le message à ton cerveau.

Ta tête n'a aucune décision à prendre pour ton corps. C'est au corps lui-même que revient la responsabilité d'avertir le cerveau de ses besoins. Une personne au régime dicte à son corps quoi manger et quand le faire. Agir ainsi est d'aller à l'encontre des lois naturelles. En suivant un régime, tu transmets un message à ton corps similaire à celui-ci : ''À partir d'aujourd'hui, je choisis ce qu'il faut, à l'heure convenue et à la fréquence déterminée''. C'est tellement plus simple de faire confiance à ce grand ami à l'intérieur de toi.

Certaines personnes n'ont besoin que d'un seul repas par jour. D'autres ne requièrent aucun déjeuner. Plusieurs préfèrent déjeuner et souper sans se soucier du dîner. D'autres nécessitent cinq légers repas par jour ou grignotent en petites quantités selon les manifestations de la faim. À toi de découvrir ce qui te convient le mieux. Chaque personne est unique. Ce qui est bénéfique pour une personne ne l'est pas nécessairement pour l'autre.

Ton corps peut assimiler le calcium ou en rejeter une partie. Il peut également éprouver de la difficulté à éliminer le cholestérol. Ce ne sont que deux exemples pour te démontrer que tu n'es pas conscient de toutes les fonctions de ton corps. Tu n'as pas encore atteint un niveau de conscience assez élevé pour réaliser tout ce qui se produit à l'intérieur de toi. Tu n'as pas à donner de directives à ton corps en ce qui a trait à la digestion par exemple. Tu n'as pas à lui dire de faire descendre la nourriture de l'estomac aux intestins ou d'actionner le foie puis le pancréas... C'est à la superconscience que revient cette tâche. Il voit à ta digestion, ton assimilation et ton élimination.

Ta seule responsabilité est d'aider ton corps par tout ce que tu peux faire consciemment. Tu es le seul responsable de ton corps. À mesure que ton état de conscience grandira, il te sera beaucoup plus facile de renconnaître les messages et d'agir en conséquence. Fais ta part et ton corps fera la sienne. Ainsi, l'énergie sera également distribuée. Ton harmonie te gardera en santé.

Plusieurs gens utilisent dans leur alimentation régulière certains ingrédients non listés parmi les éléments nutritifs dont le corps a besoin. On les appelle les poisons du corps. Ils retirent l'énergie du corps humain au lieu de lui en fournir. Parmi ces poisons, on retrouve l'alcool, le sucre blanc (et tout ce qui est raffiné telle la farine blanche, le riz blanc et le pain blanc), la caféine, le sel, le tabac et tout produit chimique (tels les médicaments et les substances chimiques utilisées pour la conservation ou la coloration des aliments puis les gras non essentiels.

Comme ce livre n'a pas été conçu pour donner des notions sur l'importance de la valeur nutritive de l'alimentation en général, je te suggère, si ce sujet t'intéresse, de consulter les volumes appropriés. Ils pourront te guider davantage.

Comment t'alimentes-tu? Donnes-tu à ton corps des ingrédients compris dans les six éléments nutritifs? Si oui, c'est que tu aimes ton corps physique. Peutêtre qu'au niveau mental et émotionnel, l'équilibre est à venir mais du moins l'aspect physique de ton corps est respecté. C'est un pas dans la bonne direction.

Certaines personnes végétariennes, de par leur statut, croient avoir réglé leur vie et sont convaincues d'avoir atteint la grande paix et l'harmonie... Mais, l'alimentation n'est qu'une dimension de l'être humain.

L'alimentation physique, c'est déjà bien. L'aide apportée maintient les cellules en santé. Elle permet ainsi de t'ouvrir davantage et voir à l'amélioration de ton côté émotif et mental.

Tout ce qui a été mentionné depuis le début du livre affecte les cellules.

TU NOURRIS TON CORPS PHYSIQUE
COMME TU MÈNES TA VIE

Une alimentation, tel un "smoked meat" avec frites, sel et cornichon devient une surcharge de travail pour ton corps. Sa digestion se fera plus difficilement car tu ne lui as donné que des "poisons". Lui faire assimiler boisson, liqueur douce, aliments contenant une quantité impressionnante de sucre et produits chimiques est un signal qu'il y a une chose en toi que tu n'aimes certainement pas. Tu manques de respect pour ton corps en lui donnant autant de travail. Ne sois pas surpris si ton corps se révolte au lieu de répondre à tes demandes. Lui aussi est capable de se révolter : "Que fais-tu pour moi? Pourquoi devrais-je toujours faire quelque chose pour toi?" Par contre, en prenant conscience de ce que tu es en mesure de faire, tu peux t'aider et aider ton corps.

Si tu manges trop de sucre, c'est qu'il manque de douceur dans ta vie. Tu ne te permets pas certaines choses qui te feraient plaisir! Si tu manges trop salé, tu es une personne qui est portée à se critiquer. Trop épicé, ta vie n'est pas assez épicée, elle manque de piquant. Trop de café, manque de stimulant dans ta vie!

Avant de passer au prochain chapitre, je te conseille fortement d'attendre une semaine. Plutôt que d'enchaîner, relis attentivement le chapitre dans son entier et prends note de tout ce que tu manges et bois durant cette semaine. Demande-toi quotidiennement si tu as vraiment faim avant de manger ou de boire et si c'est ce dont tu as besoin. Tout cela afin de commencer à te connaître davantage. À la fin de la journée, tu notes tout et tu mentionnes si tu as agi par faim, par émotions, par habitudes ou par appétit. N'en fais pas un régime, ce n'en est pas un, c'est uniquement pour toi. Ceci te permet de voir qui domine ta vie, quelle partie ou domaine de ta vie aurait intérêt à être travaillé; que ce soit dans la dimension mentale, physique ou émotionnelle. C'est un moyen supplémentaire pour te connaître davantage.

Durant les dix semaines du cours "ETC..." (*Écoute Ton Corps*), les participants ont à accomplir cet examen. Ça rapporte énormément. Les preuves sont le fruit des récoltes.

Voici ton affirmation:

JE SUIS DE PLUS EN PLUS ALERTE ET CONSCIENT DE CE QUI MOTIVE MON ALIMENTATION ET J'ATTENDS QUE MON CORPS ME FASSE PART DE MES BESOINS AU MOMENT OÙ IL A FAIM.

CHAPITRE 11
LES PROBLÈMES DE POIDS

Lorsqu'il est fait mention de problèmes de poids, c'est non seulement sur l'excès, mais aussi sur l'insuffisance. Être anormalement maigre désigne que ta vie matérielle n'atteint pas un niveau d'importance satisfaisant. Ton manque de poids signifie qu'une certaine culpabilité domine ton intérieur lorsque tu admires les choses matérielles ou que tu ressens le besoin de te faire plaisir matériellement.

Cela peut aussi révéler qu'une trop grande inquiétude manifestée pour les problèmes du monde entier est présente en toi. Tu te fais du souci initialement pour tout ce qui t'entoure et ton corps, par sa maigreur, est là pour te le signaler. Il t'envoie le message que cette façon d'être n'est pas ce qu'il t'est demandé. Les problèmes des autres ne doivent être vécus que par les autres. Ce n'est pas à toi d'y voir.

La troisième possibilité est que tu donnes probablement plus que tu ne reçois. Tu dois apprendre à recevoir un peu plus dans ta vie. A mesure que tu transformeras ta façon d'être, ton corps reprendra son poids idéal. Il est important d'aller au rythme de ton corps. Sois à l'écoute.

Le problème opposé, celui d'avoir trop de poids ou d'en prendre trop facilement, a pour sa part plusieurs significations. Une personne qui entreprend de suivre une diète, de par ce geste refuse de prendre la responsabilité de sa vie. Elle veut guérir l'effet sans en chercher la source c'est-à-dire la cause. Elle se laisse guider par ses illusions. Elle peut réussir à suivre un régime ou même plusieurs mais son corps se révoltera éventuellement et tout le poids perdu sera repris. Selon les statistiques, 98% des gens qui perdent du poids suite à un régime le reprennent au cours de l'année, dans son entier et parfois plus.

À chaque fois que tu maigris et que tu engraisses de nouveau, tu reprends toujours quelques livres en plus. C'est la façon qu'a ton corps de se révolter pour ce que tu lui fais subir. Ton corps, ta super-conscience est ton grand ami. Il te parle à travers ces messages. Mais toi au lieu de le remercier, tu te rebelles, tu veux le changer, tu t'emportes et tu viens à détester l'image de ton corps. Lui faire subir un régime est d'aller à l'encontre de ce qui devrait être fait. Essaie d'identifier la cause et graduellement le message sera perçu plus clairement et ton poids diminuera selon la vitesse idéale pour ton corps. Ça peut varier d'une personne à l'autre. En une même période de temps certaines personnes peuvent perdre de vingt à trente livres alors que d'autres n'en perdront que deux. Mais peu importe, tu dois avant tout découvrir la cause. Tu as pris plusieurs années pour acumuler vingt livres, pourquoi chercher à les perdre en l'espace d'un mois ou deux. Donne le temps à ton corps de s'ajuster à tes changements intérieurs. De cette transformation dépendra le résultat. Aussitôt que tu auras changé ta façon de penser, le reste suivra.

Les messages varient d'une personne à l'autre c'est-à-dire la cause. L'excès de poids peut provenir du fait que tu manges soit par habitude, par émotions ou par appétit comme mentionné dans le chapitre précédent. Il est normal qu'une alimentation trop élevée pour les besoins de ton corps se transforme en gras. Cette manifestation n'est toutefois pas courante chez tous les humains mais c'est une façon de te communiquer un message. Tu as quelque chose à comprendre à travers lui. Si tu connais une personne qui s'alimente excessivement sans prendre de poids, c'est que son métabolisme est très rapide. Ce qui se produit, c'est qu'elle brûle toutes les calories à mesure qu'elle les ingurgite. Le corps travaille constamment à vive allure et le système digestif est activé de façon continue. Cette personne s'use et vieillit beaucoup trop vite. Chacun a son message. Le corps, ce grand ami, a toujours une façon de nous parler si l'on va à l'encontre de nos besoins.

La solution première serait de manger par faim tout en se posant des questions. Ça pourrait être suffisant pour commencer à perdre le poids désiré. Il ne sert à rien d'avoir des attentes, ton guide est ta superconscience. Il ne te reste qu'à te prendre en main.

Un surplus de poids peut aussi être l'expression de pensées d'accumulation. Cela ne signifie pas d'amasser uniquement des choses. Ça peut vouloir dire : accumuler en pensées. L'individu qui a beaucoup de pensées d'accumulation a peur de manquer de quelque chose. Il désire toujours en avoir plus. Ça peut être également une personne qui ne manque actuellement de rien mais qui craint d'en manquer un jour. Parmi ces gens, on retrouve ceux qui achètent et paient beaucoup d'assurance annuellement. Tu peux être de ceux qui accumulent une, deux et trois maisons ou qui amassent une grande quantité de biens matériels. Si cela t'est bénéfique, tu ne recevras aucun message. Par contre, si les biens, les assurances et l'argent ont trop d'emprise sur toi, c'est le signal que cette forme d'insécurité nuit à ton évolution.

Tu voudrais peut-être posséder beaucoup de choses mais tu ne t'en donnes pas le droit. Tu te fais accroire que le matériel a peu d'importance à tes yeux mais en réalité, tu jouis de ce que l'argent peut t'apporter. Voici ton message : "Tu as droit à toutes belles choses. La matérialité fait partie de la spiritualité".

L'excès de poids peut désigner l'inacceptation de soi ou ne pas s'aimer. C'est d'être à la recherche de l'amour des autres, de toujours avoir peur d'être rejeté, de croire que les autres sont plus aimés que soi et qu'on ne vaut pas grand-chose. Le rejet est seulement dans ta tête. Tu recevras autant d'amour que tu en donnes. Regarde bien autour de toi, on t'aime beaucoup plus que tu ne le penses.

Le surplus de poids peut être provoqué par des frustrations sexuelles. Ne pas accepter son sexe. La source peut provenir de ta naissance alors que tes parents auraient préféré un enfant de l'autre sexe. L'influence est suffisamment grande pour que tu en viennes à penser qu'ils t'aiment moins. Si tu étais de l'autre sexe, crois-tu que ta vie serait plus facile ? As-tu déjà entendu tes parents dire qu'ils

ÉCOUTE TON CORPS

auraient préféré un garçon au lieu d'une fille ou vice versa? Se sont-ils déjà plaints de leur vie d'homme ou de femme? Ces frustrations sexuelles ont souvent des répercussions lors de l'adolescence. L'un et l'autre sont intimidés par le sexe opposé. L'un et l'autre se sentent insécures face à une autorité du sexe opposé. Leur apparence physique est négligée (dos courbé, excès de poids) pour éviter l'attirance de l'autre sexe.

Dans ce cas, ta superconscience te dit d'accepter ton sexe. Si tu as choisi de venir en ce monde en tant que femme ou homme, c'est que tu as quelque chose à vivre dans ce sexe-là. Si étant jeune tu pensais souvent qu'être de l'autre sexe te rendrait plus heureux, cette décision n'est pas bénéfique pour toi. Tu en subis maintenant les conséquences. Il est grand temps d'accepter ton sexe.

L'excès de poids peut être un cordon à couper. L'influence peut provenir d'une personne (père, mère, grand-père, etc.) que tu n'acceptais pas et cette personne avait un surplus de poids. Tu as alimenté la peur de lui ressembler et c'est ce que tu as réussi à t'attirer. Ton surplus de poids est une indication que tu dois accepter cette personne telle qu'elle est: physiquement et mentalement.

Tu peux aussi désirer être comme quelqu'un qui a eu beaucoup d'influence dans ta jeunesse et cette personne était grasse. Si tu admires les qualités de cette personne, tu peux les accepter pour toi sans accepter sa taille physique.

Si tu vis le problème d'obésité depuis ta naissance, la cause provient sans doute de ta vie antérieure. Tout comme pour une personne qui naît avec un handicap quelconque; ce handicap est nécessaire à son évolution. Tu dois apprendre à t'aimer et à t'accepter de cette façon. Tu auras à vivre ainsi toute ta vie jusqu'au moment où tu comprendras qu'il y a un message à travers ce handicap physique, mental ou émotionnel. À cet instant tout peut arrêter. La personne qui souffre d'un handicap physique peut produire un miracle et se rétablir complètement. Le même phénomène s'applique à la question de poids. Une personne n'est pas obligée de vivre toute sa vie présente de ce qu'on appelle son "karma" ou son destin venant d'une vie antérieure.

Plusieurs personnes très croyantes, très spirituelles, peuvent expérimenter un problème de poids car leur âme possédant un vague souvenir des dimensions antérieures à la vie sur la terre, aimerait se retrouver ailleurs ; ailleurs que sur la terre. Ces personnes se questionnent généralement ainsi : "Qu'est-ce que je fais ici sur la terre?" On dit souvent de ces personnes qu'elles sont "dans les nuages". Elles prient fréquemment. Elles sont pieuses de nature. On reconnaît ces personnes à ces pensées : "Il me semble que je serais mieux si je n'étais pas de ce monde. Il me semble qu'être morte serait plus agréable que d'être vivante". Ces personnes ne pensent pas nécessairement au suicide mais elles savent qu'il y a un endroit beaucoup plus fantastique que la terre.

Le poids supplémentaire lui permet de rester bien ancrée à la terre afin de la retenir. Le message de la superconscience est le suivant : "Accepte donc une fois pour toutes d'être sur la terre. Tu as quelque chose à faire ici. Tu as à apprendre à t'aimer et à aimer les autres". Si c'est ton problème, attarde-toi à observer la beauté terrestre, la nature. Commence à t'aimer et à aimer ce qu'il y a autour de toi.

Voici une autre possibilité : recevoir plus qu'on ne donne. As-tu peur de te révéler ? Ressens-tu de la peur quand vient le temps de partager ce que tu sais avec les autres ? Es-tu le genre de personne à affirmer ceci : "S'il veulent le savoir, ils n'ont qu'à l'apprendre ! Je ne leur dirai pas, au cas. . ." quelle est la raison pour tout garder à l'intérieur de toi ? As-tu peur de blesser ? As-tu peur de ne pas être accepté ou de ne pas être aimé ? Es-tu la personne qui reçoit les confidences et les problèmes de tout le monde, alors que toi, tu n'oses partager les tiens ? Trop d'accumulation signifie que tu reçois trop pour ce que tu donnes. Ton corps sera porté lui aussi à accumuler.

Quelle que soit la signification, le corps a mille et une façons de te parler afin que tu prennes conscience de tes agissements, de tes pensées et de tes paroles. Ta superconscience peut utiliser d'autres messages tels que l'acné sur le visage, des rougeurs, des maladies intérieures visibles ou non à l'oeil nu. Il y a toutes sortes de façons de recevoir des messages. À toi de les capter.

Il est important de t'arrêter et d'aller voir ce qui ébranle ton intérieur plutôt que d'essayer de guérir l'effet en suivant un régime. Tu seras plus gagnant en allant à la cause. Agir sur l'effet ne règle pas la situation. Exemple : un individu a un gros problème. Afin de l'oublier, il décide d'aller prendre un verre. Il s'ennivre durant toute la soirée. Le lendemain à son réveil, le gros problème est toujours là, et paraît souvent même plus gros.

Suivre un régime aboutit au même résultat. Même si tu guérissais l'effet temporairement, la cause est toujours là et t'apportera une insatisfaction intérieure constante. Alors pourquoi ne pas aller directement à la cause, à la source même du message?

Ne te soucie pas de la durée que prend ton corps pour perdre du poids. Vas-y à ton rythme. Le plus important est que tu apprennes à devenir maître de toi pour connaître le vrai bonheur.

Le travail à accomplir pour ce chapitre est avant tout d'oublier les mots *"régime"* et *"tricher"*. Il n'y a personne qui triche dans sa vie. Si tu crois tricher, c'est qu'intérieurement tu es encore au régime. Tu veux décider avec ta tête pour ton corps. Cette façon d'agir ne t'est pas bénéfique. Demande pardon à ton corps si tu lui as donné ce dont il n'a pas besoin : "Excuse-moi ROUMA. Dans le moment, je fais des abus. Je t'ai donné trop de nourriture, je ne t'ai pas écouté. Je te demande pardon. Je m'en occupe. Tu verras, je finirai par y arriver. On va bien s'entendre tous les deux".

Ainsi tu éviteras de te sentir coupable. La culpabilité nous fait recommencer. Prends le temps de t'arrêter, fais une liste de tous les aliments dont te te prives présentement. Cette énumération doit représenter tout ce dont tu aimerais manger ou boire mais que tu n'oses prendre, de peur de tricher ou de peur d'engraisser. Il y a une partie de toi qui est toujours au régime. Tu dois accepter l'idée que tu peux manger ce que tu veux et quand tu le veux. C'est ton corps. *Tu n'as de compte à rendre à personne, excepté à toi-même.* Dis-toi : "Oui, je peux manger ce que je veux et quand je le veux. Mais ai-je vraiment besoin de manger? Suis-je prêt à en payer le prix?" Par la suite, tu fais ton choix. Cette méthode te sera beaucoup plus efficace que de dire : "Il ne faut pas... ne faut pas... ne faut pas !". Cette affirmation nous obsède et nous fait agir dans le sens opposé.

Le plus sage est de prendre la résolution d'oublier le mot "régime" ainsi que le mot "tricher". Ces mots ne font plus partie de ton vocabulaire.

L'affirmation :

> **JE M'ACCEPTE TEL QUE JE SUIS PRÉSENTEMENT. MA GRANDE PUISSANCE INTÉRIEURE M'AIDE À ATTEINDRE ET MAINTENIR MON POIDS IDÉAL.**

CHAPITRE 12
LA SEXUALITÉ

Il est toujours délicat de parler de sexualité. Aussi surprenant que cela puisse paraître, il y a très peu de gens, en 1987, qui acceptent la sexualité. De générations en générations on a conservé peurs et culpabilités face au mot *"sexe"*. Le mot *"sexe"* était un péché en lui-même il n'y a pas si longtemps encore. Le confessionnal était ouvert pour s'accuser de nos péchés mais les pensées de sexe ou les actes sexuels que l'on considérait comme péchés n'en franchissaient pas le seuil. Et l'on vivait de culpabilités de ne pas s'en être confessés.

D'où provient cette importance du sexe dans la vie de l'être humain? On ne cessera de répéter que tout ce qui existe dans le plan visible existe dans le plan invisible. Tout ce qui existe dans le plan visible a sa contrepartie dans le plan invisible. Tout ce qui est en haut est comme ce qui est en bas et tout ce qui est en bas est comme ce qui est en haut.

L'acte sexuel est l'expression physique de la plus grande fusion possible c'est-à-dire la fusion de l'âme et de l'esprit. Le grand but de l'être humain est la fusion du corps inférieur avec le corps supérieur. C'est pourquoi l'acte sexuel a tant d'importance. L'âme veut atteindre cette fusion. Elle s'élève vers le grand bonheur total qui est représenté par la fusion avec l'esprit.

C'est pourquoi les attentes sexuelles sont nombreuses et pour la plupart décevantes. Depuis notre jeunesse, les adultes y compris nos parents ont fait mention de désappointements et de frustrations sexuelles. Pour épargner leurs enfants de cette frustration, ils ont tenté de retarder leur développement sexuel. Pareillement ces enfants rendus à l'âge adulte réagiront de même avec leurs propres enfants. En se privant eux-mêmes et en privant leurs enfants, ils deviennent de plus en plus obsédés par le sexe et se sentent de plus en plus coupables; le comportement devient excessif: trop ou pas assez d'activités sexuelles.

L'acte sexuel n'est pas une façon de se rapprocher ou de s'engager avec quelqu'un. Une relation basée sur la sexualité est dépourvue de fondement solide. Plus longtemps un couple développe l'amitié avant une relation sexuelle, plus la base de leur relation est solide.

Les problèmes sexuels sont aussi nombreux que l'indique la quantité de maladies reliées aux organes génitaux de l'homme et de la femme. Les problèmes de menstruations démontrent un refus quelconque au niveau de la sexualité. Cette fonction naturelle du corps féminin ne doit pas représenter une maladie ou une situation de malaises.

Comme il a été dit au début du livre, l'être humain a une très grande énergie sexuelle. L'énergie sexuelle ne peut être utilisée continuellement en performance sexuelle. C'est pourquoi elle monte au niveau de la gorge pour activer les impulsions créatives. Il est important de créer. Les gens des générations passées étaient relativement peu créatifs. Ils vivaient dans la monotonie, la routine et utilisaient peu leur énergie sexuelle (que ce soit à faire l'amour ou à créer).

C'est la raison pour laquelle les gens avaient autant de pensées sexuelles. La vie d'aujourd'hui offre l'opportunité de créer amplement car plus de choses sont maintenant acceptées. Les jeunes exploitent beaucoup leur créativité que ce soit dans leur tenue vestimentaire, leur coiffure, etc.

On constate qu'il existe plus de culpabilités sexuelles chez la fille que chez le garçon. Durant sa jeunesse on la retenait beaucoup plus. Par exemple elle ne pouvait se promener nue alors que le garçonnet pouvait le faire. Les parents craignaient qu'il lui arrive quelque chose alors que pour le garçon la gravité était moindre. Elle risquait de tomber enceinte...

Quantité de tabous sexuels existent au niveau inconscient. On doit absolument s'en défaire car ils nous empêchent d'atteindre cette paix intérieure tant recherchée. L'adulte a pris des décisions importantes concernant le sexe alors qu'il était enfant. Si l'enfant découvre ses parents au moment d'une relation sexuelle et que ceux-ci tentent de le punir ou essaient de se cacher, c'est suffisant pour l'enfant de conclure qu'il se passe quelque chose de ''mal''. Ses notions de ''bien et de mal'' sont dès lors faussées.

Le complexe d'Oedipe est normal chez les enfants de 3 à 6 ans. À cet âge, l'énergie sexuelle de l'enfant se développe et le petit garçon tombe amoureux de sa mère et la petite fille de son père, et ce, à tous points de vue, incluant l'amour physique. Le petit garçon devient jaloux de son père. Il y a une partie de lui qui admire son père alors qu'il voudrait par la même occasion le remplacer. Il est coincé entre ces deux aspects. On ne doit pas encourager ce complexe en laissant l'enfant coucher avec sa mère continuellement. On ne fait que répondre à son désir. On doit lui expliquer délicatement qu'il a sa propre chambre tout comme les parents ont la leur.

La fillette pour sa part se montre très sensuelle face à son père. Elle l'embrasse et le caresse fréquemment. Elle peut même interférer si l'attention est portée à sa mère. Il ne faut pas encourager cette attitude. Sans la brusquer, lui faire comprendre qu'il n'y a rien de mal mais que chacun a ses choses à faire. J'incite beaucoup les parents à converser avec leurs enfants comme s'ils étaient adultes, en leur expliquant ce qu'il leur arrive. Ils comprennent d'ailleurs beaucoup plus qu'on ne le pense.

Le complexe d'Oedipe disparaît peu à peu quand l'enfant atteint l'âge de six ans. L'un et l'autre respectera davantage son père ou sa mère et l'admiration envers le parent du même sexe fera place à la jalousie. L'enfant s'identifiera à sa mère ou à son père et cherchera à l'aimer plutôt que de la/le repousser.

Plusieurs problèmes sexuels proviennent du fait que le complexe d'Oedipe n'est pas encore disparu même à l'âge adulte. La jeune femme recherche son père sexuellement et l'homme recherche sa mère. Si tu t'identifies à cette situation, inutile de penser que c'est mal. Plutôt tu n'as qu'à prendre la décision de couper ce lien et d'accepter qu'un parent ne peut pas aussi être un amant. L'amour paternel ou maternel et l'amour intime sont deux choses différentes. C'est une grande raison pour laquelle il y a eu tant de cas d'inceste jusqu'à ce jour. Je dois t'avouer que je suis étonnée de constater qu'une personne sur cinq, qui fréquentent le Centre Écoute Ton Corps, avoue avoir vécu une expérience incestueuse dans sa jeunesse. C'est énorme, c'est un traumatisme courant. Les gens s'ouvrent et en parlent davantage maintenant.

D'où proviennent les expériences incestueuses? La jeune fillette est inconsciente de la sensualité qu'elle dégage. Elle provoque une réaction chez son père. Je ne cherche pas à excuser l'expérience incestueuse. Je veux citer que le parent est trop souvent accusé. Le père qui vit une telle expérience avec sa fille est généralement inconscient de ce qui lui arrive. Cet homme souffre. Il est malheureux. Il fait une chose qui est à l'encontre d'une loi naturelle. Il traumatise l'enfant. Pourquoi vit-il cette expérience avec sa propre fille plutôt qu'avec quelqu'un d'autre? C'est qu'il existe une vibration entre les deux. C'est aussi souvent un homme qui a peur du rejet et est immature sexuellement. Sa relation sexuelle avec sa femme n'est pas satisfaisante, alors il est plus facile de se satisfaire à la maison que d'aller ailleurs. Il y a moins de risque de rejet. C'est un homme qui attache beaucoup d'importance à la vie de famille.

Mon travail me permet de rencontrer bien des gens et plusieurs d'entre eux qui ont eu des expériences incestueuse portent le blâme sur le père... Attention avant d'accuser quelqu'un d'autre! Toujours se souvenir que nous récoltons ce que nous semons!

Je connais plusieurs cas où l'inceste a commencé à un très bas âge pour se continuer jusqu'à l'âge de dix-huit ans! Dans ces conditions ce n'est pas uniquement le père qui est à blâmer. Une jeune fille devenue adolescente m'a déjà révélé qu'elle avait très peur de son père et sa seule façon de pouvoir sortir et rencontrer de nouveaux amis était de faire ce qu'il voulait. Pensez-vous qu'à 18 ans une jeune fille ne peut pas dire "non" à cette situation. Il se passe quelque chose au niveau inconscient. La peur et le refus de vivre cette expérience sont autant présents chez le père que chez la fille.

L'attirance semble incontrôlable. Tous les deux vivent de grands tourments intérieurs.

On n'a pas à les juger. Il est tellement plus sage d'accepter que dans la vie, *il n'y a ni violents ni méchants, il n'y a que des souffrants.*

La plupart des enfants se sentent coupables car intérieurement ils aiment l'attention qu'ils reçoivent ainsi; mais leur notion de "bien-mal" dit que c'est mal. La jeune fille aussi se sent coupable de prendre la place de la mère. Aussi, très souvent, la jeune fille haït sa mère plus que son père de n'avoir vu la situation et faire en sorte de la corriger. Il est encore plus difficile (et aussi plus rare) pour un garçon de vivre une expérience incestueuse avec sa mère.

Si tu avais vécu une telle expérience avec ton père, ta mère, un grand frère ou une grande soeur, un grand-parent, un oncle, il est très important de lui pardonner, d'accepter que cette personne est souffrante. Prends ta responsabilité; tu as attiré inconsciemment cette expérience dans ta vie pour t'apprendre à aimer malgré les apparences. Va vers cette personne et demande-lui pardon de l'avoir haïe. Tous et chacun d'entre nous créons des situations dans notre vie pour apprendre à aimer.

Les statistiques démontrent que les expériences incestueuses se poursuivent de famille en famille, de générations en générations. Il est très courant qu'une jeune fille ayant vécu cette expérience et n'ayant jamais *pardonné* à son père mariera un homme qui lui à son tour agira de même avec ses filles. Tout se reproduit: comme le jeune garçon témoin du père attaquant sa petite soeur. Sans pardon, il deviendra éventuellement pareil à son père. Lui aussi agressera ses filles.

Il est primordial de couper ce cordon, ce lien, pour mettre fin à ce cercle vicieux. La purification doit commencer quelque part. Tu peux occasionner cette transformation.

L'acte sexuel devrait être fait uniquement par amour. Aimer une personne, c'est désirer fusionner avec elle pour la ressentir davantage. L'acte sexuel ne devrait jamais être l'objet de marchandage. Des milliers de femmes *se soumettent* à l'acte en croyant pouvoir obtenir une récompense par la suite. Les attentes... combien d'hommes craignent d'être anormaux s'ils n'ont pas une apparence sexée et s'obligent à faire les premiers pas envers la femme parce qu'ils croient que telles sont leurs attentes.

Alors, quand tu débutes une nouvelle relation avec quelqu'un, il est important de la commencer du bon pied. Ne prends pas le sexe comme moyen d'attache. Ce n'est pas ce qui retient une personne. Si ta relation est déjà amorcée depuis plusieurs années, il serait bon d'avoir une conversation à propos de vos intérêts sexuels. Dites-vous exactement ce que vous ressentez présentement face au sexe et ce que vous avez ressenti étant jeunes.

Il est important d'apprendre à se révéler sur ce sujet. As-tu déjà pris le temps de t'asseoir avec ton conjoint/e pour lui dévoiler tous les détails de ta première relation sexuelle ou de tes plaisirs sexuels? Te souviens-tu de l'endroit, de la date et de la personne? Si ce souvenir ne t'est pas connu, ce peut être le signe d'un blocage à ce niveau.

Il est également important d'accepter que faire l'amour par amour est l'un des plus grands plaisirs sur la terre. C'est la reproduction du plus grand acte de l'être humain. Désirer faire l'amour n'est pas uniquement animal. Ça le devient si l'acte est conçu pour un simple plaisir sensuel, sans partage de sentiments avec l'autre personne. À ce moment seul ton corps inférieur est en action. Tandis que faire l'amour par amour permet à ton corps supérieur de t'apporter une grande joie intérieure.

On remarque chez certains, surtout chez les femmes très spirituelles, que faire l'amour est synonyme d'abaissement. Tu es né sur la terre et faire l'amour est un plaisir terrestre. Tu n'as pas à te sentir coupable car en amour il n'y a ni bien ni mal.

Il est aussi d'une grande importance de faire l'amour en choisissant ton partenaire. La femme reçoit beaucoup de l'homme pendant l'acte sexuel, tout comme l'homme reçoit beaucoup de la femme. On ne reçoit pas que physiquement mais aussi émotivement, par le corps astral c'est-à-dire émotionnel. C'est pourquoi il est primordial de savoir avec qui tu fais l'amour. Si cette personne vit de la rancune, de la haine ou de la peur, tu peux en être influencé. L'homme et la femme reçoivent les vibrations de l'un et l'autre par l'union des corps subtils, des corps invisibles.

Il est facile de constater qu'il y a beaucoup d'insatisfaction sexuelle sur la terre. Les gens cherchent constamment, à travers le sexe, quelque chose qu'ils ne trouvent pas. C'est l'âme qui veut se fusionner à l'esprit et l'une des façons la mieux connue en ce monde matériel est en pratiquant l'acte sexuel.

En ce qui concerne l'homosexualité, cette décision découle généralement du complexe d'Oedipe non complété. En effet, l'enfant (garçon ou fille), en plus d'être amoureux du parent du sexe opposé (étape normale du développement de l'enfant), s'est identifié à cette personne plutôt que de s'identifier au parent du même sexe.

L'homme homosexuel, au lieu d'aimer comme son père, veut être aimé de lui en agissant comme la mère. Les expériences homosexuelles entraînent généralement beaucoup de troubles au niveau émotionnel. L'homosexualité est une expérience comme tant d'autres pour arriver à se retrouver complètement, pour atteindre cette grande paix intérieure. Ces expériences ne sont pas faciles à vivre. Au lieu d'accepter de t'y soumettre, va voir plus loin, trouves-en la source. Apprends à regarder bien au fond de toi, à rechercher tes motivations, et vois comment toi tu peux y remédier.

Nous ne devons jamais juger personne. Les gens qui se livrent à la prostitution, qui vivent des expériences incestueuses ou homosexuelles, ont quelque chose à apprendre face à leur choix. La décision ne regarde qu'eux seuls. Si tu juges quelqu'un sévèrement, regarde ce que ça réveille en toi. Qu'essaies-tu de te cacher? Il est mieux pour toi d'y faire face immédiatement, c'est plus facile à chasser si ce n'est pas bénéfique pour toi.

Il est certain que ces expériences créent des moments troublants et difficiles pour la personne concernée mais elle en sortira encore plus forte. Le mieux pour toi, au lieu de juger les autres, est de te regarder toi-même face à ta propre vie sexuelle. Tu es le seul maître de ta vie sexuelle.

L'idéal pour toi, pour terminer ce chapitre, serait de faire un bon examen de conscience et regarder ta vie sexuelle présente tout en reculant aussi loin que possible. Si ces démarches s'avèrent insatisfaisantes, affirme-toi davantage. Cette expérience est l'une des plus importantes de ta vie. Elle peut te marquer énormément. La journée que tu t'affirmeras, ta vie sexuelle changera beaucoup de choses dans ta vie personnelle. Fais ton examen de conscience le lendemain ou suivant ta prochaine relation sexuelle. L'acceptes-tu? Était-ce par amour? Est-ce que tes notions de *bien et de mal* t'empêchent de vivre cette relation à plein?

Ton affirmation à faire:

> **JE SUIS UNE MANIFESTATION DE *DIEU* SUR LA TERRE, DONC MA SEXUALITÉ EST AUSSI UNE MANIFESTATION DE *DIEU*. J'UTILISE MA SEXUALITÉ POUR M'ÉLEVER.**

CHAPITRE 13
LES BESOINS DU CORPS PHYSIQUE

Les besoins fondamentaux viennent conclure la partie ''physique'' de ce livre. Ne pas être à l'écoute de ces besoins est d'aller à l'encontre des lois naturelles physiques. Le corps peut se révolter par le malaise, ou pire encore, la maladie.

Le premier besoin, par ordre d'importance : *La respiration*.

Si tu cesses de respirer quelques instants, quelques minutes, tu sais ce qui se produira. Le corps physique a besoin d'air, il n'y a aucun doute là-dessus. L'air contient tous les éléments nutritifs dont le corps a besoin. En respirant *bien*, tu vas chercher la vie de cet air. Cette vie se nomme le *PRANA*. Elle est conçue pour ton corps physique. Savoir bien respirer peut t'épargner un repas par jour tellement l'air est nourrissant. Il s'agit d'en prendre conscience en respirant.

Bien respirer consiste à prendre une bonne inspiration, retenir, et expirer deux fois plus longtemps que la durée de l'inspiration. Si tu comptes jusqu'à 2 en inspirant, tu devrais compter jusqu'à 4 en expirant. Éventuellement, tu pourras augmenter ce nombre par des exercices réguliers et assidus. Respire profondément jusque dans le ventre, en affirmant cette pensée : ''JE FAIS PÉNÉTRER TOUTE CETTE VIE EN MOI''. Chaque grande respiration t'apportera des changements dans ton état d'être.

Il ne suffit pas d'aspirer pour répondre aux besoins physiques, tu dois également aspirer la vie. Si tu te sens étouffé par des événements, si tu as des problèmes de poumons et de respiration, c'est que tu n'aspires pas la vie. Quand tu la rejettes davantage, tu te provoques des problèmes de coeur, tout comme ces gens qui prennent la vie trop au sérieux et qui ne voient en elle que labeur et travail.

Quand ton coeur ou tes poumons te parlent, c'est le signal que tu n'aspires pas assez la vie. C'est un grand besoin physique indispensable.

Le deuxième besoin : *L'ingestion*.

L'ingestion signifie faire pénétrer eau et nourriture dans ton corps. Une carence d'eau provoque la mort ainsi qu'une trop grande déficience de nourriture. Je n'ai pas à te convaincre que l'eau est un grand besoin physique. Quelle sorte d'eau donnes-tu à ton corps? Malheureusement l'eau de robinet est de très faible qualité dans la plupart des villes du Québec. On a même dit que notre qualité d'eau est la pire après celle du Mexique dans toute l'Amérique du Nord... La quantité d'eau pour ton corps est d'une aussi grande importance que la qualité. Tu devrais boire 2 à 3 litres d'eau par jour. Il y a plusieurs sortes d'eau sur le marché présentement. Tu peux faire ta propre enquête et ensuite, décider laquelle eau est meilleure pour toi.

Comme la nourriture a déjà fait l'objet d'un chapitre, j'aimerais seulement ajouter que la nutrition des animaux comestibles est supérieure à la nôtre! Si l'on nourrissait les animaux de farine blanche, de sucre blanc et de pain blanc, ils périraient rapidement.

As-tu remarqué que la viande que tu consommes provient d'animaux herbivores? Manger de la viande, c'est se nourrir d'un cadavre. L'animal avant de mourir était apeuré; dans l'abattoir, l'odeur du sang a provoqué des réactions de peur et ses réactions ont produit beaucoup d'adrénaline. L'adrénaline demeure dans son corps pendant plusieurs mois et devient un poison pour l'humain qui le mange. Tu manges également ses émotions: peur, colère, agressivité. C'est pour cette raison qu'on retrouve beaucoup d'agressivité chez les gens qui consomment énormément de viande.

Alors avant d'introduire quoi que ce soit dans ta bouche pour ingérer, prends quelques instants pour être vraiment à l'écoute des besoins de ton corps. Je ne t'ordonne pas de devenir végétarien du jour au lendemain et de cesser complètement de boire l'eau du robinet. Mon intention n'est pas de faire peur par ces propos mais plutôt de te faire devenir plus conscient. Vas-y graduellement. À mesure que tu purifieras ton intérieur, tu n'auras plus les mêmes goûts, tu diminueras tes portions de viande pour finalement ne plus en vouloir. Tu perdras le goût de boire l'eau polluée. Sois bien à l'écoute de ton corps. Prends le temps qu'il faut et n'aie pas peur de te questionner si ta réponse est vague. Lorsque le goût de manger une chose en particulier te vient subitement, demande-toi si ce besoin est réel ou s'il provient d'une influence extérieure. Si après réflexion, tu veux encore manger cet aliment alors vas-y suis ton rythme!

Les sortes d'idées qu'on avale affectent notre corps, tout comme la variété de nourriture et d'eau qu'on ingère l'influence. Si tu as de la difficulté à accepter de nouvelles idées (qui peuvent t'être bénéfiques), provenant de toi ou de quelqu'un d'autre, tu peux te causer des problèmes buccaux.

Voici un exemple d'une situation qui m'est arrivée il y a quelques temps. Je suis en réunion avec des gens et de grandes décisions sont à prendre. L'une d'entre elles concerne l'avenir d'*Écoute Ton Corps*. Quelqu'un se présente avec une nouvelle idée et je me surprends à penser: "Quelle idée! Ça n'a pas d'allure! De toute façon ce n'est pas grave, c'est moi qui décide en dernier lieu!''. Je ne voulais vraiment pas accepter cette idée. Aussitôt j'ai commencé à sentir un petit ulcère dans la bouche. Ma réaction fut instantanée: "Tiens, ça me fait mal dans la bouche tout d'un coup''. Quelques minutes plus tard, l'ulcère avait pris du volume. J'ai compris que l'idée que je refusais d'accueillir pouvait m'être bénéfique. Quand on est à l'écoute, on remarque tous les signaux. C'est extraordinaire. Ce grand ami à l'intérieur me conseillait de ne pas laisser passer une telle idée. Je l'ai donc examinée à fond, avec plus d'ouverture et j'ai réalisé qu'elle contenait plusieurs possibilités. Au bout d'une demi-heure, l'ulcère n'y était plus...

Ton corps te parle, sois alerte dès les premiers signaux. Ainsi tu sauras revenir sur le bon chemin.

Le troisième besoin: *La digestion*.

Il est primordial pour ton corps de digérer la nourriture. Il y a non seulement la digestion de nourriture mais aussi la digestion d'idées nouvelles. Tu as peut-être accepté l'idée de quelqu'un; tu l'as donc avalée. Mais après coup, tu décides de t'y opposer: "Non, ça n'a vraiment pas de bon sens''. En refusant de digérer ce qui est nouveau, tu risques de provoquer une indigestion, le rejet de l'idée. Ton corps te signale que ce rejet d'idée ne t'est pas bénéfique. Cette attitude occasionne des troubles de digestion. Si tu n'y vois pas, ce peut atteindre tout ton système digestif c'est-à-dire l'estomac, le foie et le pancréas.

Le foie est le foyer de la colère réprimée. Se mettre en colère est d'aller à l'encontre de la grande loi d'amour. Tu dois apprendre que les gens sont aussi parfaits qu'ils savent l'être à chaque instant. Chacune de leurs paroles et chacun de leurs gestes sont leur façon d'aimer. En acceptant qu'il y a de l'amour dans chaque mot et chaque action, tu ne vivras plus de colère et tes problèmes de digestion n'existeront plus. Ta digestion d'idées nouvelles ne présentera aucun obstacle.

Les problèmes de pancréas sont représentés par le diabète ou l'hypoglycémie. On retrouve ces deux maladies chez les personnes qui croient ne pas mériter de plaisir. Ces personnes aiment faire plaisir aux autres mais non à elles-mêmes. La vie leur est plutôt terne. Elles ressentent une grande tristesse intérieure qu'elles dissimulent par de la bouffonnerie ou de la comédie. Elles n'acceptent ni ne digèrent les belles situations qui se présentent autour d'elles. Elles aspirent au bonheur mais ne croient pas vraiment que ça puisse leur arriver.

J'ai eu l'occasion, depuis quelques années, de voir des centaines de personnes se débarrasser de leur hypoglycémie par le simple geste de se faire plaisir. Il est plus difficile de se défaire du diabète car la maladie est plus grave, donc le message plus fort. Mais rien n'est impossible. J'ai moi-même été témoin de plusieurs guérisons.

La mastication favorise la digestion. Il est à conseiller de mastiquer la nourriture jusqu'à en perdre sa saveur et qu'elle devienne liquide. Ainsi l'effort pour avaler sera minime. Cette habitude est particulièrement appréciée par ton corps. Ta salive contient des enzymes dont ton corps a besoin pour aider à la digestion de ta nourriture (spécialement les hydrates de carbone). Une mastication prolongée rend les aliments à l'état liquide pour aider à la digestion au niveau de l'estomac.

À chaque fois que tu avales sans mâcher, même les aliments nécessitant peu de mastication comme les pâtes alimentaires, le jello et les desserts, tu rends la digestion plus difficile. Il est important de mastiquer ou bien mélanger avec ta salive, aussi longtemps que tu peux, avant d'avaler.

Le quatrième besoin : *L'élimination.*

Une bonne mastication et une bonne digestion sont primordiaux pour bien éliminer. Les fibres y jouent également un grand rôle. Les fibres sont une partie des aliments que le corps ne digère pas. Ils forment de petits poils qui aident au nettoyage des intestins.

L'élimination doit s'effectuer non seulement par les intestins et le rectum mais aussi par les reins. Il est également important de savoir éliminer les idées, de les relâcher. La rapidité de l'évolution d'aujourd'hui occasionne beaucoup de problèmes à la personne qui veille trop à ses vieilles idées. Ces problèmes se manifestent par la constipation, les hémorroïdes, les problèmes de vessie, d'enflure et de rétention d'eau. Ces ennuis organiques sont une indication qu'il y a un blocage au niveau des pensées et des idées. Les problèmes de reins (rétention d'eau, enflure et constipation) peuvent signifier que tu as peur de perdre quelque chose dans tes biens matériels auxquels tu es trop attaché ; ce peut être aussi des idées mesquines.

Tout cet inconfort est un message de ta superconscience ROUMA. Elle te dit : "Tu n'as pas à craindre de perdre quoi que ce soit. Ce que tu possèdes présentement, tu peux l'obtenir à n'importe quel moment". Plus on donne dans la vie, plus on reçoit. Tel devrait être l'échange d'énergie. Tu tiens trop à tes biens matériels, à tes pensées. Tu n'oses pas faire place pour autre chose. Si tu souffres d'hémorroïdes, c'est un autre message de ton corps. Il te dit que tu as peur de lâcher prise, que tu ressens beaucoup de pression. Tu te sens surchargé par ce qui se passe dans ta vie présentement. Il y a beaucoup de ressentiments. Tu as aussi peur d'être rejeté. Ta superconscience te suggère de te laisser aller, de t'abandonner, de laisser les autres avoir leurs idées. Accepte leur aide et délivre-toi de toute opposition non bénéfique.

Le cinquième besoin : *L'exploration*.

Explorer est un besoin primordial chez l'être humain. Celui qui ne bouge pas, qui n'utilise pas ses sens pour avancer est définitivement malade. Si tu as déjà passé quelques semaines au lit, tu sais de quoi je parle. L'être humain a besoin d'être actif. Il doit utiliser cette grande énergie. Maintenir une activité physique régulière à toutes les semaines est très bénéfique.

L'exercice physique idéal est la marche. La marche est l'exercice le plus simple, le moins cher et le moins violent. Elle redonne beaucoup d'équilibre au corps. La marche est non seulement un exercice physique mais aussi une activité de détente et de relaxation. Elle permet de faire travailler les muscles des jambes, de l'abdomen et du thorax. Elle oxygène et entraîne le coeur. Les vibrations déclenchées à chaque pas viennent masser le foie, le pancréas, la rate et les intestins, ce qui favorise la digestion. La marche accélère le métabolisme et active la circulation. Elle est indispensable au bon fonctionnement des articulations. Elle se pratique sans difficulté et peut être arrêtée au moindre signe de fatigue. Elle lutte avec efficacité contre l'empâtement du corps et de l'esprit. Elle améliore les défenses naturelles de l'organisme et en retarde quelque peu son vieillissement. Elle aide à se maintenir en forme et minimise les risques d'infarctus et d'artériosclérose. Ses mouvements automatiques permettent une libération tout en gardant l'esprit fermé.

Quel que soit ton choix d'activité physique, ses fréquences devraient être en moyenne au nombre de quatre par semaine ou selon les besoins de ton corps.

L'exploration psychique est également très importante sur l'effet physique de ton corps. Si tes actions, pensées et paroles t'empêchent d'avancer dans ta vie, des problèmes surviendront au niveau des jambes, des bras, des yeux, des oreilles ou du nez. Un malaise provenant des hanches signifie que quelque chose ne tourne pas rond dans ton exploration. Ton corps te signale que tu as peur d'aller de l'avant dans les décisions importantes. Tu es conscient de ce qui devrait être accompli mais une crainte intérieure t'y retient. Tu n'as pourtant rien à craindre, ta superconscience est là derrière chaque décision. Si un mal persiste au niveau des jambes, c'est l'indication que l'avenir te fait peur. Tu as sans doute à faire face à un changement qui pourrait modifier ton avenir. Ce pourrait concerner ton travail par exemple. Cette nouvelle responsabilité qui t'est présentée est probablement la source de ton mal. Tu hésites à avancer.

Les jambes et les pieds ont la même signification. Les orteils concernent les petits détails face à l'avenir. Ces tracas ne te sont pas bénéfiques. Des cors aux orteils indiquent que tu crois aux difficultés matérielles. Tout malaise est un signe que tu n'agis ni ne penses d'une façon bénéfique.

Le mal de bras indique que tu n'embrasses pas tes expériences présentes avec joie. Que veux-tu faire réellement? Il est temps de satisfaire tes besoins. Le mal de coude te dit que tu n'es pas assez flexible pour accepter une nouvelle expérience. Arrête d'avoir peur d'être coincé, tout s'arrange.

L'arthrite révèle que ton exploration n'est pas en harmonie. Si elle est présente dans les mains, les jambes, les bras et les hanches, tu crois sincèrement que les gens prennent avantage de toi. En réalité, tu n'exprimes pas ce que tu veux. Tu acceptes toujours de te sacrifier pour les autres et ensuite tu critiques, ton corps te signale qu'il est grand temps de t'affirmer.

Réalises-tu combien ton corps est extraordinaire et merveilleux? Comme il n'y a ni bien ni mal, tu n'as plus à te casser la tête. Quoique tu fasses, dises ou penses, si ce n'est pas bénéfique on te fera signe. Ta seule responsabilité est de demeurer alerte. Surveille tes malaises, tes maladies, ton manque d'énergie, tes émotions et la consommation de nourriture. Aussitôt qu'il y a un signal, c'est qu'il se passe quelque chose. C'est une indication que tu fais fausse route. On te rappelle alors sur le droit chemin, celui de l'amour! On sait que tu y seras plus heureux.

Je suis persuadée que cette théorie sur les besoins physiques t'est connue, du moins en partie. Tu serais même prêt à t'exclamer ainsi:

"Tout le monde sait ce dont le corps a besoin". Je suis bien d'accord, mais qu'en fait-on? Quelle est l'utilité d'avoir tant de connaissances si on ne les applique pas!

Quantité de gens savent des tas de choses mais le tout demeure au niveau des connaissances. Tout connaître ne change absolument rien dans une vie. C'est par la pratique qu'on vient à transformer cette *"connaissance"* en *"savoir"*. Nombreuses sont les personnes qui détiennent des tas de diplômes, qui accumulent des années de cours et qui possèdent un éventail de théorie, sans pour autant changer leur vie. La raison? Ils ne mettent rien en pratique. Ils profitent de leurs connaissances pour tenter d'impressionner ou de changer les autres.

À ce niveau, tu dois avoir commencé à vivre certains changements, certaines transformations. Tu prends peu à peu conscience de ta grande puissance intérieure.

Avant de terminer ce chapitre et de passer au suivant, fais une liste des cinq besoins fondamentaux. À côté de chacun d'eux, indique les signaux que tu as pu retracer. À toi de prendre les décisions et de donner à ton corps ce dont il a vraiment besoin. Toi seul en profiteras. Tu n'as rien à perdre. En te prenant en main, en te faisant plaisir et en écoutant ton corps, tu transformeras ta vie.

Le ménage ne fait que commencer, les côtés mental et émotionnel sont à venir. Sois alerte. Tel est mon plus grand souhait.

Affirmation à faire :

JE SUIS MAINTENANT DÉCIDÉ DE RESPECTER LES BESOINS DE MON CORPS PHYSIQUE ET JE RETROUVE AINSI LA SANTÉ PHYSIQUE.

3ième PARTIE:

À L'ÉCOUTE DE TON CORPS MENTAL

CHAPITRE 14
LE BIEN/LE MAL

Le bien et le mal ont mené le monde depuis le début des temps. Il est malheureux de constater que cette création provient du côté humain et non divin de l'homme. Le *mal* est une fabrication de la *peur*. Tout est au niveau de la tête. Si l'on identifie une chose comme étant *"mal"*, cette chose le devient automatiquement, d'où l'on dit *"Tu deviens ce que tu penses"*. Toutefois, pour une autre personne, ce mal peut être interprété comme étant bien. Donc une même chose devient bien ou mal selon la perception de chaque individu.

En réalité, tout ce qui est considéré "mal" fait partie du grand plan divin et est permis sur la terre pour aider l'homme à évoluer.
Voici l'exemple d'un type faisant sa course matinale sous les chauds rayons d'un soleil d'hiver. Il court torse nu. Pour lui, c'est bien. Malgré le froid, il se sent vivifié. Il aime sentir le soleil sur son corps. Dans sa course, le froid ne l'atteint pas. Il est ranimé. Il s'emplit d'énergie pour la journée. Cependant s'il vient à croiser un piéton, celui-ci réagira avec stupéfaction face à sa tenue. Ce dernier s'exclamera fort probablement ainsi: "Mon DIEU, c'est effrayant! Il va attraper la grippe". Sa réaction indique que s'il accomplissait cette même chose, ne serait-ce que quelques instants, il aurait la grippe. Il a conclu dans sa tête que c'était mal.

Les exemples de bien et de mal sont nombreux. On sait qu'il est bien de manger. On doit le faire pour se nourrir, pour fournir l'énergie à notre corps physique. Alors s'il est bien de manger, ce doit être encore mieux de manger davantage... Non. S'alimenter excessivement n'est bénéfique pour personne. On augmente le travail du corps.

Le bien et le mal ne sont qu'une conception de l'être humain. Combien d'heures consacres-tu par jour à gérer ta vie selon le bien ou le mal? Combien de fois t'empêches-tu de faire ce que tu aimerais parce que tu crois que c'est mal ou parce que tu t'inquiètes de ce que les autres vont dire ou penser? Se refuser d'accomplir ce qui nous plaît nous fait tomber dans nos habitudes. En agissant ainsi, on accepte la conception de bien ou mal qui nous vient de l'extérieur!

Comme le fait d'accepter qu'il est recommandé de prendre un bon déjeuner le matin. *"On"* dit que c'est la meilleure chose pour soi. Mais d'où vient ce principe? C'était sans doute excellent pour les générations antérieures. Nos grands-parents, nos aïeux vivaient sur des fermes et se levaient très tôt, soit 3 ou 4 heures du matin. Il est évident que vers 8 heures, ils ressentaient le besoin de prendre un déjeuner consistant. Il faut se rappeler que ces gens puisaient toute leur énergie dans la nourriture. Ils ignoraient que l'énergie pouvait s'acquérir par la pensée. Leurs facultés mentales étaient moins développées. On a continué d'accepter cette notion comme l'ont acceptée nos parents. Pour certaines personnes, ce peut être essentiel de déjeuner au lever mais pour bien d'autres, ce peut s'avérer tout l'opposé. Si l'on mange au lever alors que le corps n'a pas complété son assimilation du repas de la veille, on lui donne beaucoup trop de travail. On l'oblige à digérer, à assimiler et à éliminer ce qu'il n'a même pas demandé.

Te laisses-tu déranger par nombre de choses qui créent chez toi beaucoup d'émotions, de peurs et de culpabilités? C'est que dans ta tête, tu attribues du mal à ces choses. Si jamais tu te laisses aller à avoir des pensées ou à faire des actions qui pour toi sont mal, c'est que tu es tourmenté intérieurement.

Les mots *PÉCHÉ, SATAN, DIABLE, DÉMON* sont des inventions de l'être humain; car *DIEU* est amour. *Il* est parfait et *IL* est partout. S'*Il* est partout, où est Satan? Est-ce possible que la moitié du cosmos ait un *DIEU* et que l'autre moitié ait *SATAN*? Alors qu'advient-il lorsque tu acceptes que DIEU est partout et que tu crois en l'existence de Satan tout à la fois. Méfie-toi des gens qui

LE BIEN/LE MAL

te parlent de "diable" et de "péché". On essaie de t'inculquer des notions de peurs. Est-ce que *DIEU* cherche à te faire peur? Non. *DIEU* est juste. Il aime tout le monde.

Nous devons et voulons tous vivre en harmonie et en paix, dépourvus de notions de peurs. Les seuls moments où l'être humain a à payer pour quelque chose, c'est quand il enfreint les lois naturelles. Ce sont ces lois qui gèrent le cosmos. L'effet suite à nos pensées n'est ni péché ni mal. C'est tout simplement la *loi* de *CAUSES ET EFFETS*; la grande loi qui nous apprend et qui nous aide à devenir plus conscient. Il n'y a pas d'erreurs mais uniquement des expériences.

Le mot *"erreur"* est une autre invention de l'être humain. Si les mots Satan, péché, mal, erreur, tricher et combien d'autres n'existaient pas, ne figuraient pas dans le dictionnaire, y penserais-tu? Tout ce vocabulaire a été inventé et accepté depuis déjà très très longtemps. Certains humains, pensant connaître les grandes lois naturelles mieux que DIEU lui-même, ont commencé à faire leurs propres lois. La soif du pouvoir humain a pris le dessus. L'être humain s'est laissé influencer. Il se retrouve maintenant à une phase où il ressent le besoin de retourner à la perfection du début des temps. La perfection qui correspondait à la grande harmonie naturelle, la seule qui devrait exister.

Les valeurs, méthodes, habitudes et principes sont tellement élevés chez l'être humain qu'ils finissent par mener sa vie.

Il est grand temps de t'arrêter, de te regarder à travers tes propres valeurs. Répondent-elles à tes ambitions? Y crois-tu vraiment? Te rendent-elles heureux? La présence de valeurs, méthodes, habitudes et principes est une indication que la notion de bien et de mal est encore trop forte. Elle limite nos désirs et occasionne des combats intérieurs fréquents. On s'empêche de désirer: "Il ne faut pas, ce n'est pas bien". C'est le grand syndrôme des personnalités fortes; celles qui ne se laissent pas aller à leur désir, à leur côté enfant.

Les personnalités fortes ont un grand point en commun: elles ont de la facilité à s'en faire accroire. Entre autres, qu'elles sont bien comparativement aux autres qui ne le sont pas. Elles veulent changer les autres continuellement. Leur notion de bien et de mal a beaucoup trop d'emprise sur elles. C'est d'ailleurs pourquoi elles éprouvent de grandes difficultés à accepter les autres tels qu'ils sont.

La vérité est une chose très relative, c'est encore une autre conception de l'être humain. La vérité est proportionnelle au développement de chaque personne. Chacun est convaincu de détenir la vérité. Chacun a atteint un certain niveau d'évolution donc la vérité d'une personne n'est pas moins bonne que celle d'une autre. Elle suit le développement de sa personne. Alors au lieu de vouloir changer tout le monde, acceptons-les tels qu'ils sont dans leur vérité. Chaque nouvelle expérience deviendra un nouvel apprentissage donc une modification, une évolution. Tu expérimenteras toi aussi des changements à mesure que tu avanceras dans la vie.

Lorsque la notion de bien et de mal est beaucoup trop prononcée, tu deviens trop rigide envers toi-même et envers les autres. Tu laisses passer des occasions fantastiques où tu pourrais vivre d'heureux moments. Tu es tellement occupé à juger et à critiquer les autres que tu ne vois pas à ta propre vie, à ce que tu pourrais faire pour toi. Qu'arrive-t-il à une personne dans une telle situation? Elle ne ressent aucun bien-être et ses moments d'émotions sont fréquents et continus.

Si tu juges qu'une chose est bien et que quelqu'un autour de toi exprime tout le contraire face à cette chose, n'es-tu pas désappointé, déçu, frustré? Ne ressens-tu pas de la colère? Ne cherches-tu pas à changer cette personne? Tout ce que tu cherches à faire des autres, tu cherches à le faire pour toi. Quelles sont tes réactions lorsque tu fais quelque chose de mal? Tu ne t'acceptes pas, tu es en colère avec toi-même et tu ne cesses de t'en vouloir. Tu vas à l'encontre de la grande loi d'amour qui dit que l'on doit s'accepter.

Tu as choisi ta façon de vivre et tes habitudes actuelles car tu as cru qu'elles étaient bien pour toi. Mais es-tu vraiment l'auteur de cette décision? Ou bien as-tu agi sous le pouvoir d'une influence extérieure?

Prenons un exemple: *le sommeil*. Il est dit qu'on devrait dormir huit heures par nuit. Qui en a décidé ainsi? Combien d'heures de sommeil as-tu besoin par nuit? Ton corps doit dormir quand il a sommeil et non pas quand la montre le lui dit. Plusieurs gens se couchent régulièrement à la même heure tous les soirs, assurés d'avoir besoin d'un nombre fixe d'heures de sommeil par nuit. La vie d'aujourd'hui ne devrait plus en être ainsi. Chaque jour est différent. Donc le besoin de sommeil varie selon le type d'activité et de l'énergie dépensée. Les gens des générations passées, tous fermiers pour la plupart, savaient un an d'avance ce qu'ils allaient accomplir. Leur vie était réglée comme un cadran. Ils se couchaient très tôt et nécessitaient une bonne nuit de sommeil. Nombreuses sont les personnes qui vivent encore selon le mode de vie inculqué par leurs grands-parents sans toutefois vouloir retourner à cette période. C'est pour cette raison que tant de conflits persistent. Il est important de vivre dans le temps présent et non dans le passé.

Avant de te coucher, il serait bon de te poser la question à savoir si tu as vraiment sommeil. Si tu ressens de la fatigue, tu n'as pas nécessairement besoin de sommeil mais plutôt du repos. Alors choisis une activité que tu considères reposante. Ce peut être d'écouter de la musique, prendre un bon bain chaud à la chandelle, faire une détente, aller prendre une marche, faire un casse-tête, ou même aller danser. Enfin, tu sais ce qui te détend le plus.

Lorsque tu es fatigué, tu te reposes. Lorsque tu as besoin de sommeil (c'est-à-dire lorsque tes yeux se ferment par eux-mêmes) tu te couches. Lorsque tu as faim, tu manges. C'est ça *être à l'écoute de son corps*. Demeure alerte à tes besoins personnels et non à ce *"qu'on dit"*.

Le même phénomène se produit au réveil. Lorsque ton corps te réveille à six heures du matin et que tu crois qu'il est beaucoup trop tôt pour te lever, c'est que tu n'es pas à l'écoute de ton corps. S'il te réveille, c'est qu'il est l'heure de te lever. Dans ce cas, il serait préférable de t'occuper par des activités que tu juges intéressantes pour toi. Tu peux toujours te recoucher un peu plus tard dans la journée ou même faire une détente. Si tu dors plus d'heures que ton corps a besoin, tu seras ankylosé, empâté, tu pourrais même subir un mal de dos. En te levant trop tard, tu auras de la difficulté à partir ta journée.

Tu as pu remarquer que l'on a adopté des tas d'habitudes, sans même chercher à savoir si c'est vraiment ce que l'on veut ou ne veut pas. Voici une quantité d'habitudes : toujours s'asseoir à la même place à la table, toujours dormir sur le même côté du lit, fréquenter les mêmes lieux de vacances, faire le ménage à la même journée, faire l'épicerie au même endroit et au même jour de la semaine, manger aux mêmes heures, aller voir la belle-mère tous les dimanches, téléphoner à sa mère une fois par jour. Il y en a même qui ont l'habitude de se plaindre quand on leur demande comment ils vont.

As-tu l'habitude de toujours dire à tes enfants quoi faire, quand le faire ou pourquoi ne pas le faire? As-tu l'habitude de te plaindre à ton mari ou à ta femme chaque fois qu'il/elle revient de travailler? Regarde-toi. Observe-toi. Quelles sont tes habitudes?

Plus tu as d'habitudes, plus c'est signe que ta notion de bien et de mal est ancrée en toi. En apprenant à devenir plus flexible, en acceptant l'idée qu'il n'y a ni bien ni mal, tu rempliras ta vie d'expériences et tu apprendras à travers elles.

Commettre un meurtre, être homosexuel ou être violent peut être mal à tes yeux ; tu ne dois jamais juger qui que ce soit. Ces personnes ont de quoi à réaliser par ces expériences. Ce n'est pas à toi ni à personne d'autres de décider pour eux. Seulement la personne même sait exactement ce qu'elle vit à l'intérieur. Ceux qui agissent à l'encontre des grandes lois naturelles comme la loi de l'amour, de la responsabilité... récoltent ce qu'ils sèment.

Nous récoltons ce qui est derrière, ce qui motive nos actes et non selon l'acte lui-même.

Si ta récolte t'est agréable, ta semence en est la cause. Et tu le sais. La meilleure façon d'apprendre et de cesser de t'en vouloir est *d'accepter que tu es aussi parfait que tu peux l'être à chaque instant de ta vie.*

Plusieurs croient qu'être perfectionniste est une qualité. Si tu es une personne perfectionniste, c'est que tu n'acceptes pas ta perfection. Le perfectionniste n'est jamais satisfait. Il a énormément de difficultés à s'accepter. Rien n'est jamais assez parfait. Recule un peu et regarde ce que tu appelles tes ''erreurs''. Au moment ou tu faisais ladite *erreur*, en avais-tu conscience? Ou as-tu réalisé, après coup, que si tu avais agi autrement, tu aurais obtenu de meilleurs résultats? Au moment de l'accomplissement, tu étais assuré que ta façon d'agir était la bonne. Alors pourquoi t'en vouloir? Il en va de même pour chaque être humain. À chaque instant de la vie, chacun agit au meilleur de sa connaissance. C'est ce que signifie voir *DIEU* en chaque personne. *DIEU* égale *PERFECTION*.

Il est possible que certaines personnes perdent contrôle d'elles-mêmes. Elles sont comme obsédées par quelque chose ou quelqu'un qui les pousse à commettre des actes abominables, tel un meurtre par exemple. Mais au moment de l'acte, cette personne n'était pas elle-même. Elle était sous l'influence d'une force invisible. L'être humain doit combattre ces forces qui sont constamment présentes autour de lui. Cela fait partie de son apprentissage sur la terre.

Plus tu apprends à être maître de ta vie, moins il y aura de personnes, d'événements ou de vibrations extérieures qui t'influenceront. Tu as sans doute expérimenté une situation où tes paroles ressemblaient à celles-ci : ''Je ne sais pas ce qui m'est arrivé, c'était plus fort que moi''. Tu n'es pas l'unique personne à vivre ce genre d'expériences. Éventuellement la maîtrise de soi les fera disparaître peu à peu. La personne aux prises avec de tels événements ne doit pas être jugée. Il est tellement plus agréable d'accepter que chaque être humain, à chaque instant de sa vie, est *aussi parfait qu'il peut l'être*.

À chaque fois que tu t'en veux de ne pas avoir fait une chose aussi parfaite que tu aurais voulu, tu agis comme un enfant de six ans qui s'en veut de ne pouvoir écrire aussi bien que sa grande soeur à l'université! L'enfant de première année écrit au meilleur de sa connaissance. Son professeur lui donne une note selon son degré d'apprentissage. On ne compare pas son travail à celui de l'universitaire pour l'évaluer. Il peut obtenir 100% même si son écriture est à peine lisible. Toutefois si cet enfant se rend à l'université avec la même écriture qu'au primaire, ce n'est plus la même chose.

On peut comparer cette situation à la personne devenue consciente que certaines choses sont à l'encontre des lois naturelles et qui s'obstine à répéter ces mêmes choses. Il est évident que cette personne aura à payer davantage.

Si tu fais quelque chose au meilleur de ta connaissance, tu dois accepter que tu es aussi parfait que tu peux l'être. Le seul temps où tu auras à payer, c'est lorsque tu persistes consciemment à refaire des choses qui ne te sont pas bénéfiques. Les preuves de tes expériences antérieures sont pourtant là.

Il est rare qu'une personne consciente renouvelle des actions qui ne lui sont pas bénéfiques ; que ce soit pour elle-même ou pour les autres.

Chaque jour de ta vie t'offre de nouvelles expériences afin que tu puisses exceller davantage dans ta perfection. Lorsque tu accepteras cette notion pour toi-même, tu l'accepteras pour les autres. Tu cesseras de condamner, de juger, de critiquer ou de garder rancune envers qui que ce soit. Quelle grande paix intérieure tu connaîtras ! Tu vois, tout est conçu pour transformer ta vie.

Le pessimiste se compare facilement au perfectionniste. Il voit toujours arriver la pire des choses. Il n'accepte ni sa perfection ni celle des autres. Être pessimiste ou perfectionniste vient uniquement de la dimension mentale, selon sa notion de bien et de mal. La terre est une grande école où tu montes continuellement de classe en classe. Accepte que chaque personne est à un grade différent et que chacune est aussi parfaite qu'elle peut l'être selon le grade atteint. Certaines personnes sont encore à la maternelle alors que d'autres ne font que s'y préparer. D'autres ont franchi l'étape de l'université. Sur la terre, personne n'est meilleur qu'un autre.

Le garçonnet de première année qui fait tout possible est aussi important que l'étudiant à l'université qui lui aussi y met du sien. Un enfant en bas âge, à la conscience et aux connaissances moindres que la personne à l'université, fait parfois plus d'efforts que les gens ayant atteint un niveau beaucoup plus élevé. Alors, qui es-tu pour juger les autres ? ***Nous sommes tous aussi parfaits que nous*** *pouvons l'être à chaque instant de notre vie.*

"Il faut". Deux mots qui indiquent clairement que la notion de *bien et de mal* a encore beaucoup d'importance chez toi. Généralement, cette exclamation ne vient pas de toi mais plutôt de ta notion de *"bien et de mal"* : *"Il faut"*, ou encore, *"Il ne faut pas"*. Exemple : tu travailles toute la semaine. Au lever du samedi tu te dis : "Il faut que je fasse mon ménage aujourd'hui". Cette tâche devient une corvée, un travail. Il serait préférable de remplacer "il faut" par des questions semblables à celles-ci : "Ai-je vraiment le goût de faire mon ménage aujourd'hui? Si je ne le faisais pas, combien cela m'en coûterait-il?" Si le prix à payer est trop élevé parce que tu n'as aucun autre temps d'ici une semaine pour faire non seulement ton ménage mais aussi ton lavage et ton repassage, tu affirmes ceci : "Bien non, dans le fond, je sais que je n'ai aucune autre journée pour le faire et que je me sentirai mieux lorsque ce sera fait aujourd'hui." Tu as fait ton choix. Ce n'est plus la même chose. Tu verras que l'exécution de tes tâches exigera beaucoup moins d'énergie.

T'arrive-t-il de dire : "Il faut encore aller travailler ce matin"? *Il ne faut* jamais rien dans la vie... toute la vie est un choix!. Tu peux choisir de ne pas aller travailler mais es-tu prêt à en payer le prix? Si tu crois qu'il t'en coûtera trop cher parce que tu risques de perdre ton emploi, alors tu prends une décision qui devient un choix : "Je choisis d'aller travailler".

À chaque fois que tu t'entends dire ou penses "il faut", arrête-toi et affirme tout le contraire : "Non, il ne faut pas. J'ai toujours le choix dans la vie. Je n'ai de compte à rendre à personne en ce bas monde, sauf à moi-même". Après réflexion, quand tu constates que le prix à payer est trop cher et que tu n'es pas prêt à faire face aux conséquences de ta décision, agis en conséquence! Il en est ainsi dans tout, même les lois humaines. Exemple : les feux rouges. Tu n'as pas le goût de t'arrêter aux feux rouges, c'est ton choix. Mais es-tu prêt à en payer le prix? Es-tu prêt à risquer un accident ou payer une amende de 100$.

Tu vois, il ne *faut* jamais rien, c'est toujours ton choix. Tout vient de toi. La seule chose qu'*il faut* pour toi dans cette vie, c'est d'évoluer, c'est-à-dire d'aimer et d'aller selon les grandes lois naturelles et spirituelles. C'est beaucoup plus facile ainsi. Occupe-toi de ton *"être"* et le reste viendra. C'est tout ce qui importe sur la terre. Ton intellect n'y est pas pour comprendre, analyser ou juger les autres mais pour comprendre que ton héritage à toi, c'est *LA PERFECTION*.

Avant de passer au chapitre suivant, fais une liste de tout ce que tu considères bien et mal dans la vie. Ta notion de *bien et mal* est-elle la même pour toi comme pour les autres? Et ta notion de valeurs, est-elle identique à celle que tu attribues aux autres? Il est important de le remarquer. Perdre des choses ou se faire voler est une indication que la notion de valeurs n'est pas la même pour soi que pour les autres.

En écrivant ta liste, regarde si le *bien* est vraiment bien et si le *mal* est vraiment mal. Certaines choses que tu considères *mal* pourraient t'être bénéfiques. Indique que toutes les choses figurant sur ta liste sont parfois bien, parfois mal, c'est-à-dire parfois bénéfiques et parfois non bénéfiques, selon la personne, l'événement, la circonstance et le temps. Il n'y a vraiment rien de bien et de mal.

Fais une seconde liste de toutes tes habitudes. Dans les trois jours qui suivent, change au moins une habitude! Pour changer une habitude qui ne t'est pas bénéfique (comme fumer par exemple), remplace-la par une habitude qui t'est bénéfique. Elle doit venir de ta propre décision. Tes habitudes non bénéfiques proviennent majoritairement de l'extérieur, de ton éducation, de ton instruction et des décisions prises lors de ta jeunesse. Une bonne habitude vivifie et énergise. Le plus important c'est que ton habitude vienne d'une décision consciente!

Voici l'affirmation:

> **JE REMARQUE TOUTES MES HABITUDES POUR ÊTRE EN MESURE DE SAVOIR LESQUELLES SONT BÉNÉFIQUES POUR MON ÉVOLUTION ET MON HARMONIE. J'ACCEPTE QUE LA VIE EST UN CHOIX.**

CHAPITRE 15
L'ORGUEIL

Très peu d'humains aiment entendre parler d'orgueil. Je n'en ai encore jamais rencontrés qui l'aient complètement maîtrisé. L'orgueil est une des nombreuses manifestations de la peur mais vient également du côté parfait de l'être humain. Ce dernier a conscience qu'il possède cette perfection divine à l'intérieur de lui mais il l'exploite inadéquatement en voulant toujours avoir raison au détriment des autres. L'orgueil est un autre défaut du plan mental, de l'intellect.

On reconnaît l'orgueilleux à sa façon qu'il a de toujours vouloir avoir raison et de donner tort à ceux qui l'entourent. Il donne l'impression d'être le seul gagnant. La force et le pouvoir que l'orgueil semble procurer n'est qu'une illusion car en réalité, l'orgueilleux est toujours perdant. Il est dit que l'orgueil est le plus grand fléau de l'humanité. Il est à l'origine des grands déchirements de la vie sociale, des rivalités entre les peuples, des guerres, des intrigues, de la haine et des rancunes envers les autres. L'orgueil apporte des ambitions de pouvoir mais durcit le coeur et nous empêche d'aimer nos semblables. L'orgueilleux est toujours correct mais non les autres. Tenter de changer quelqu'un est une forme d'orgueil. Lorsque tu penses intérieurement d'être correct et d'avoir raison comparativement à l'autre qui a non seulement tort mais est complètement déplacé, tu es l'unique perdant.

Si tu laisses l'orgueil prendre le dessus, tu perds beaucoup de choses : *ça te coûte très cher au niveau de l'amour, tes relations, ta santé, ton bonheur !* En vaut-il la peine ?

L'orgueilleux est celui qui se connaît le moins. Il est tellement infatué de lui-même que toute tentative pour l'éclairer s'avérerait sans succès. Il ne veut rien savoir. L'orgueilleux ne tolère aucune contradiction. Il aime la compagnie de gens qui le flattent. Le bien fait par quelqu'un, avec le secret désir d'être applaudi et glorifié, se retourne toujours contre son auteur.

C'est la raison pour laquelle tant de gens commencent des choses avec de bonnes intentions pour finalement se retourner contre eux, car l'orgueil a réussi à prendre le dessus en cours de route.

Il existe deux formes d'orgueil : *l'orgueil mental* et *l'orgueil spirituel*.

L'orgueil mental caractérise celui qui pense tout connaître. Aussitôt que l'on met en doute les connaissances de cette personne, l'orgueil fait surface et c'est le début d'une longue obstination pour faire comprendre son point de vue. On distingue l'orgueilleux par sa façon d'être. Il parle fort, vite et d'une manière pressante. Il veut absolument avoir raison et prendra tous les moyens nécessaires pour se faire comprendre jusqu'à ce que son interlocuteur finisse par dire : "Ah ! je comprends". C'est ni plus ni moins lui donner raison.

Un autre trait typique de l'orgueilleux est l'utilisation courante de cette phrase : *"Je le savais"*. Il sait tout. S'il sait vraiment tout, pourquoi s'oblige-t-il à le dire ? Et toi t'arrive-t-il souvent de dire cette phrase ? Le plus important dans cette situation est que tu saches toi-même que tu le sais.

Si on te demandait *"le savais-tu?"*, c'est bien différent. Tu réponds à une question. Le besoin de dire qu'on le sait sans que ça ne nous soit demandé est motivé par l'orgueil.

L'orgueil te fait résister à toutes transformations intérieures. Il essaie continuellement de t'empêcher de voir **DIEU** en chacun, de faire des actes de pardon, d'exprimer tes sentiments ou émotions, d'être vrai, de prendre des cours de croissance personnelle ou de lire de bons bouquins à ce sujet. Si dans le moment tu vis de la rancune envers quelqu'un et qu'il t'est impossible de lui demander pardon premièrement de lui en vouloir, ensuite d'avoir omis de reconnaître l'amour dans ses gestes ou paroles, c'est que tu laisses ton orgueil t'en empêcher. Tes pensées sont probablement semblables à celles-ci : "Mais voyons, si je lui demandais pardon, c'est ni plus ni moins lui donner raison et admettre que j'ai tort!"

Considère ton orgueil comme une entité extérieure qui n'est là que pour t'influencer. L'orgueil est cette voix dans ta tête qui ne cesse de te déranger.

Apprends à la chasser en acceptant qu'elle n'est qu'un indésirable qui essaie de t'influencer. Tout comme pour ta superconscience, j'aimerais te suggérer un nom qui représenterait cette voix qui te parle continuellement en te faisant résister à la vie. Nomme-la: *CANTA*. Chaque fois que tu sens sa présence en toi pour t'apporter des troubles intérieurs, dis-lui ceci: "*CANTA*, va-t-en, je ne t'ai pas invitée, *"fous"* le camp!" Tu verras cela produit beaucoup d'effet. Quand l'orgueil prend le dessus, tu n'es plus toi-même, tu n'exprimes pas ton *DIEU* intérieur. Tu te laisses influencer.

Ton orgueil fera tout pour survivre. Il te tourmentera dès l'instant où tu décideras de le maîtriser. Il t'attaquera davantage pendant les quelques semaines qui suivront ta décision. Selon mon expérience et mes observations personnelles, si tu t'y mets dès aujourd'hui pour mater ton orgueil, les trois premières semaines seront les pires. Par la suite ta résistance commence à s'atténuer et tout devient plus facile.

Ton orgueil a peur. Compare-le à une voisine qui vient toujours t'effrayer par des histoires troublantes. Tu la laisses pénétrer chez toi à n'importe quel moment de la journée. Lorsque tu décides de lui dire "Va-t-en, je n'ai plus le goût d'écouter cela", elle panique. Elle perd son territoire, cette place où il faisait bon se défouler. Mais elle reviendra à la charge afin de vérifier la véracité de tes propos. Cela va de même pour l'orgueil. Pendant quelque temps, il fera tout pour survivre, pour éventuellement finir par disparaître. Tu dois demeurer alerte pour avoir le dessus.

Il est préférable d'être prévenu car l'être humain est tellement orgueilleux. On ne peut se débarrasser du jour au lendemain d'un orgueil qui existe depuis des générations et des vies. On y parvient tout doucement par de petites victoires quotidiennes, en faisant des actes d'amour.

L'orgueil est l'exhaltation de ton moi inférieur qui représente ta personnalité, contrairement au *"JE"* qui représente ton moi supérieur, ton individualité. À mesure que tu développeras ton individualité, ton orgueil perdra de son emprise sur toi.

Attention à l'orgueil spirituel. Plus une personne fait de la croissance personnelle, plus elle devient consciente et plus grand est le danger de laisser l'orgueil spirituel prendre le dessus. Cette personne se sent généralement supérieure aux autres: "Moi, je suis mieux que toi. Lui n'est pas aussi évolué que moi". Ces pensées sont le fruit d'un orgueil spirituel. J'ai connu nombre de personnes qui étaient parvenues à atteindre une belle évolution. Au moment où elles commençaient à être au service des autres, elles ont laissé l'orgueil spirituel prendre le dessus et tout s'est retourné contre elles.

Il est important de faire attention même si tu devenais plus conscient. Que tu sois d'un grade supérieur à un autre ne veut pas nécessairement dire que *"l'être"* de l'autre est inférieur au tien. C'est uniquement son degré de conscience qui est inférieur. La pureté de son âme est aussi parfaite que la tienne. Seule l'expression est différente.

Si tu regardes les autres comme étant plus petits que toi, c'est comme se comparer à un éléphant et prendre les autres pour des souris. Est-ce qu'un éléphant a plus de valeur qu'une souris en tant qu'animal? C'est très dangereux. Ça revient à dire que tu es *DIEU* et que l'autre ne l'est pas. La grande loi spirituelle est de voir *DIEU* en chaque personne.

Ce qui rend la tâche difficile quant à la maîtrise de l'orgueil, c'est qu'aussitôt qu'une personne s'y laisse prendre, cela tend à faire ressortir l'orgueil de l'autre. Lorsque deux orgueilleux s'affrontent, le résultat est inévitablement *"deux perdants"*.

Le meilleur moyen d'apprendre à maîtriser ton orgueil lorsque tu fais face à quelqu'un qui veut avoir raison, ne t'obstine pas. Accepte l'idée que dans le moment cette personne possède une vérité qui lui est importante. Sa vérité est aussi vraie pour elle que la tienne l'est pour toi. Qui a raison? Les deux sans aucun doute.

Donc, tu acceptes dans ton for intérieur que l'autre a raison mais que ta vérité est aussi vraie que la sienne. Voici ce que je suggère de dire: "J'accepte ton point de vue même s'il est différent du mien et même si je ne le comprends pas. J'accepte que pour toi, ce point de vue soit important". L'autre personne en sera complètement abasourdie. L'orgueilleux veut toujours gagner, avoir raison et avoir l'impression que l'autre vient de perdre. Mais par ces mots, il se retrouve devant une situation où l'on accepte sa vérité, tout en réalisant que l'autre n'a pas perdu. En agissant ainsi, tu évites la soumission.

Si tu changes ton point de vue dans le seul but de le faire concorder avec celui de l'autre, cela devient de la soumission. Les deux en sont perdants: toi avec ta soumission car tu as l'impression qu'on t'a retiré toute ton énergie et l'autre, par son impression d'être gagnant (alors qu'il est perdant) car il se procure du pouvoir de la mauvaise façon. Il devrait puiser son pouvoir à l'intérieur de lui-même plutôt que chez les autres. Toute personne qui gagne avec son orgueil est automatiquement perdante.

À l'opposé de l'orgueil, on retrouve l'humilité. Mais prends garde, bien des gens se considèrent humbles pour camoufler leur peur car en réalité ils sont faibles. Ils ont tellement peur de se tromper qu'ils se soumettent volontiers. Donne du pouvoir à ces personnes et elles changent vite. L'humilité disparaîtra par miracle... C'est ce qu'on appelle de la fausse humilité.

Aussi il y a les gens qui s'abaissent toujours et qui ne peuvent accepter leurs talents et qualités. Ils sont embarrassés quand quelqu'un leur fait un compliment. Ils agissent humblement... C'est aussi de la fausse humilité, qui est entre autres choses une forme d'orgueil.

En fait le mieux est de se comparer à plus haut que soi, tout en réalisant que cette personne sait mieux exprimer son *DIEU*. Ainsi on réalise qu'il y a toujours beaucoup à apprendre et l'on accepte plus facilement que toute personne est aussi parfaite que soi.

L'orgueil engendre souvent l'hypocrisie, la vanité, le besoin de pouvoir et beaucoup d'autres états d'être qui ne te sont pas bénéfiques. Il y a deux formes d'hypocrisie: celle de l'homme grand qui se fait passer pour ordinaire et celle de l'homme ordinaire qui se fait passer pour grand. Les deux nous confondent : l'un par fausse humilité, l'autre par vanité.

Si seulement l'orgueilleux savait ce qui l'attend après sa mort... Ce qu'il aura à vivre entre ses deux vies... et ce qu'il est en train de préparer pour sa prochaine vie! Le spiritisme n'est pas le but de ce livre mais porte tout de même à réfléchir. C'est pourquoi il est important de maîtriser son orgueil dès aujourd'hui, de devenir plus conscient de ce qui nous motive. Est-ce d'avoir la gloire et de se faire flatter par les autres? Si oui, tout se retournera contre soi. Est-ce si important de toujours vouloir avoir raison? Regarde ce qu'il t'en coûte!

Aides-tu quelqu'un dans l'espoir de te faire dire que tu es fantastique et magnifique? Espères-tu que l'aide apportée soit criée sur tous les toits? Observe-toi! Prenons l'exemple que tu as aidé quelqu'un. Cette personne t'a semblé ingrate et non reconnaissante. Elle ne t'a même pas remercié et a fait part à tous comment elle avait pris sa vie en main et par ce fait même, apporté beaucoup de changements dans sa vie. Tout ça sans faire mention de ton aide! Décevant, non? Aurais-tu préféré qu'elle dise que c'était grâce à toi? C'est une forme d'orgueil que de vouloir de la reconnaissance.

Tu seras peut-être bouleversé en lisant ces lignes, en te rendant compte à quel point tu es orgueilleux! Mon but n'est pas de te bouleverser mais plutôt de te faire devenir plus conscient. Si tu t'apercevais que tu es un être très orgueilleux, il est alors grand temps de le réaliser car jusqu'à présent c'est ce qui t'empêchait d'aimer.

Chez l'être humain les résultats physiques du durcissement du coeur sont les multiples scléroses. De plus en plus de personnes en sont affectées. L'orgueil fait beaucoup de ravage. L'idéal pour ces gens serait de laisser aller leur coeur et de commencer à aimer. D'être moins durs envers eux-mêmes et les autres.

Le côté mental doit être utilisé pour s'élever et non pour s'abaisser et abaisser les autres. Les actes de simplicité et de sincérité te font vivre un sentiment de bonheur beaucoup plus extraordinaire que celui d'avoir toujours raison.

L'ORGUEIL

Si tu t'apercevais que certains cordons n'ont pas été coupés avec tes parents, suite au chapitre concerné et que tu hésites encore à le faire, c'est signe d'orgueil. Demander pardon et faire un acte d'amour ne signifie pas de perdre ou gagner. L'un et l'autre attachés par ce cordon sont aussi parfaits qu'ils savent l'être. Chacun a fait au mieux de sa connaissance. L'amour était tout simplement mal exprimé. Pour recommencer du bon pied, l'un ou l'autre doit ouvrir son coeur et délaisser son orgueil. C'est le plus grand bien qu'une personne puisse faire pour l'autre. Penser ou parler avec sa tête est une forme d'orgueil. À ce moment on touche à la tête de l'autre et c'est ainsi qu'elle nous répond avec *"sa tête"* et non avec *"son coeur"*.

Tout revient à la même chose: *l'amour*. Chaque acte d'amour finit par régler tous les problèmes et transforme tout dans la vie. L'amour a un grand pouvoir de guérison: guérisons physique, mentale, émotionnelle et spirituelle.

Tu dois maintenant réaliser que derrière l'orgueil se cache toujours la peur. La peur de ne pas être aimé, d'être rejeté, d'être jugé, d'être critiqué. La peur de ne pas être à la hauteur d'une situation, la peur de perdre quelque chose ou quelqu'un. Si une personne orgueilleuse se présente à toi, essaie de voir toute la souffrance et la peur dans son comportement. Cette personne cherchera peut-être à te changer, à te faire peur par ses attitudes tranchantes et autoritaires. Mais ne te laisse pas impressionner car en réalité elle est probablement plus effrayée que toi. Ne cherche pas à lui répondre du même ton avec ta tête. En voyant la souffrance, tu sera en mesure de toucher son coeur.

Pour terminer ce chapitre, je te conseille fortement de faire une rétrospection des trois derniers jours. Écris tout ce dont tu peux te souvenir des contacts que tu as eus (avec tes proches ou autres); que ce soit en pensées, en paroles ou en actions.

Sois honnête avec toi-même. Personne ne verra ta feuille. S'il le faut quand tu en auras terminé brûle-la. Regarde à combien de reprises ton orgueil a pris le dessus. Ce peut être de l'orgueil mental: "Je connais mieux", ou de l'orgueil spirituel: "Je suis mieux".

L'exercice n'a pas été conçu dans le but de te faire sentir coupable mais plutôt pour te faire devenir conscient et te permettre de voir où tu en es et quelle décision est à prendre. Regarde ce qu'il t'en a coûté dans ta santé, ta paix intérieure, tes relations, ton bonheur et ton amour avec les autres. Es-tu prêt à continuer à payer ce prix?

Je crois que si tu as réussi à lire ce livre jusqu'à cette page, c'est que tu as définitivement l'intention de te prendre en main, d'être à l'écoute de tes vrais besoins. S'occuper de son orgueil est un besoin fondamental. Regarde bien ce que tous ces changements apporteront à ta vie.

Quand ta liste sera terminée, prends une situation à la fois et va voir la personne concernée. S'il y a lieu de demander pardon, fais-le. Explique-lui que tu viens de réaliser que tu t'étais laissé dominer par ton orgueil. Dis-lui que ce n'était pas véritablement toi qui parlais, ce n'était pas toi avec ton coeur mais plutôt ton orgueil qui avait pris le dessus. Avoue-lui que tu as maintenant décidé de te prendre en main mais qu'il faudrait être patient avec toi car rien ne peut se faire du jour au lendemain. Ce bel acte d'amour t'aidera. Crois-moi.

L'affirmation à répéter aussi souvent que possible:

> **JE M'ACCEPTE AVEC MON ORGUEIL ET À CHAQUE JOUR JE M'EN DÉBARRASSE UN PEU PLUS EN VOYANT *DIEU* DANS TOUS CEUX QUI M'ENTOURENT.**

CHAPITRE 16
LES FAUX-MAÎTRES

Qu'est-ce qu'un maître?

Un maître est une personne ou une chose qui mène ta vie et devant qui tu t'inclines soit par crainte ou par adoration. Connais-tu les maîtres de ta vie? Tu réaliseras rapidement qu'ils sont non seulement nombreux mais également tous faux! Il n'y a qu'un seul vrai maître sur la terre et c'est ton *DIEU* intérieur. Ceci s'applique pour tout être humain. Chaque personne a son propre maître.

Voici les faux maîtres les plus courants. Y a-t-il quelqu'un présentement dans ta vie, près de toi (conjoint, enfant, parent, patron) que tu crains? Qui mène ta vie? Devant qui t'inclines-tu continuellement?

Les cours du Centre Ecoute Ton Corps se terminent habituellement entre 22h30 et 23h00, selon qu'il y ait eu délai ou non au programme. J'ai vu, et ce à plusieurs reprises, nombre de dames en train de prendre le cours s'impatienter nerveusement dès 22h30. Elles ont peur de faire attendre leur mari qui se charge de venir les chercher. Elles se sentent soudainement inconfortables sur leurs chaises et se lèvent fréquemment pour surveiller par la fenêtre. Aussitôt que l'époux se présente, la dame concernée s'empresse de quitter et manque la fin du cours. Une dame qui agit ainsi craint son mari. Elle a peur de lui déplaire. Il y a toujours moyen de communiquer sans se craindre. Si cet homme est trop impatient pour attendre quelques minutes, les rôles peuvent être inversés en lui suggérant d'arriver un peu plus tard. Sinon la dame peut se déplacer par elle-même en utilisant le transport en commun comme font la majorité des gens.

Une personne en état de peur devant quelqu'un d'autre n'est pas son propre maître. Aussitôt que tu crains quelqu'un tu en fais ton maître. Cette personne te manipule sans cesse. Elle sait sur quel bouton appuyer pour te faire réagir. Il n'est pas bénéfique pour toi d'être constamment en réaction. Cela occasionne beaucoup trop d'émotions.

Un autre faux maître : *les nouvelles*. Quel que soit le média d'information utilisé, certaines gens écoutent les nouvelles pour ensuite prendre des décisions suite à ce qui s'est dit. Si l'on prévoit tempête et mauvais temps, nombreux sont ceux qui changeront d'activité ; pourtant les prévisions météorologiques sont si souvent inexactes ! Ce sont les humains qui décident de la température. Si pour une même région, les gens changent soudainement de pensée, la température subira un changement tout aussi radical. La terre est une entité et ses cellules sont les êtres humains.

Une personne qui se laisse influencer par les nouvelles vivra dans la peur bien souvent. Elle est tourmentée par ce qu'elle entend. Si on annonce des problèmes financiers au pays, elle peut tout aussi bien cacher son argent ou le transférer de continent... Ou encore elle apprend qu'on a trouvé le corps d'un jeune garçon mutilé par son agresseur. La personne influencée réagira fortement à cette nouvelle, et ce pendant des jours, alors que ça ne la concerne pas du tout. Ce qui arrive aux autres ne regarde que les autres. C'est leur vie, leur responsabilité à eux. On n'a pas à comprendre ni à être d'accord ou non. Il suffit d'accepter qu'ils avaient, tous les deux, à vivre cet événement. On peut ressentir de la compassion sans se tourmenter. La vie, c'est ça...

Les honneurs et le pouvoir font également partie des faux maîtres. Faire quelque chose pour être honoré ou pour avoir du pouvoir, c'est d'être motivé par ce qui est extérieur à toi et non par ton **DIEU** intérieur. Tu laisses le désir des honneurs et du pouvoir mener ta vie.

Les biens que l'on possède sont parfois de faux maîtres. Où se situe ta relation avec tes biens ? Y tiens-tu comme à la prunelle de tes yeux ? Si l'on endommageait le plus précieux de tes biens, comment réagirais-tu ? Serais-tu en colère ? Si tu réponds dans l'affirmative, cela signifie que tes biens sont maîtres chez toi. Quelle différence cela ferait-il dans ta prochaine vie si tu mourais avec un verre de cristal en moins ou avec une petite marque sur ton mobilier de salle à manger ou une brûlure sur ton tapis ?

C'est normal pour tout être humain de vouloir être entouré de belles choses. La beauté est très importante pour nous. Mais il n'est pas bénéfique de faire de nos biens matériels nos maîtres ! Tes biens servent à agrémenter ta vie et non à la mener. Tu devrais en être le maître.

Un autre faux maître : *l'astrologie*. Nombreuses sont les personnes qui font faire leur carte du ciel ou qui suivent l'astrologie de très près. Elles mènent leur vie selon ce qui est dit dans les livres ou selon les révélations de leur astrologue. Ce sont les décisions que tu prends et les actions que tu fais qui mènent ta vie. Tu as choisi ton signe astrologique uniquement pour t'apprendre à évoluer et à aimer, malgré certaines influences astrales. Les astres auront moins d'emprise sur toi dès que tu deviendras ton propre maître. La carte du ciel n'est qu'un outil pour te faire connaître tes influences astrales afin que tu puisses t'armer pour les maîtriser.

On pourrait comparer cette notion à une situation semblable à celle-ci : Tu es assigné à travailler, pendant un an, avec une personne très négative. Tu n'en as pas le choix. Tu dois être à ses côtés pendant un an. Tu décides de l'accepter et, dès lors, tu te mets en garde. Tu te protèges contre les effets négatifs. Il est évident qu'il y aura un effort supplémentaire à fournir, une grande dépense d'énergie mais en étant conscient de l'influence non bénéfique tu seras en mesure de te protéger. Il en est ainsi pour les astres. Les astres proposent et l'homme dispose.

Les voyants et les médiums sont également des faux maîtres pour plusieurs personnes. Ils se font de plus en plus nombreux. Il y en aura encore davantage car notre conscience s'élève. Elle permet ainsi à nos dons psychiques de se développer. Que se passe-t-il lors d'une séance ? Ces gens captent toutes les vibrations qui viennent de tes corps subtils. Ils te captent dans l'état où tu es, au moment où tu te présentes. Tu es dans une certaine ligne de vie. Eux sont en mesure de te dire ce qu'il t'arrivera si tu demeures dans cette ligne de vie. Personne ne peut connaître le futur d'un autre car le futur dépend du moment présent. Le voyant prédit ton futur d'après ton moment présent, tes vibrations présentes. Mais si pour une raison ou une autre tu changes ta façon d'être dès le lendemain, suite à ce que quelqu'un a pu te dire ou à ce que tu as pu lire ou avoir pensé, tu changes ainsi ton moment présent dans toute sa totalité. Tu viens de changer de ligne de vie en changeant ta façon de penser. Alors tout ce qu'on a pu te prédire la veille n'existe plus pour toi. Toutefois si tu laisses ces gens t'influencer, tu demeureras dans la même ligne de vie et tu feras arriver les événements tels que prédits. Quand tu es avec une personne qui te parle de ton avenir, utilise ton discernement et prends bien seulement ce qui te fait te sentir bien et c'est ce que tu feras arriver.

Tu peux changer de ligne de vie de façon continuelle dans une même vie. Tu peux vivre plusieurs vies pendant une même vie.

Un changement radical te donnera l'impression de renaître, d'être une nouvelle personne. Ton entourage s'étonnera de ton changement : "Mon DIEU, on ne te reconnaît plus. Il y a quelque chose de changé chez toi. Tu n'es plus la même personne". Cette transformation a été provoquée par ton changement de ligne de vie. Une évolution rapide diminue tes retours sur la terre.

Un autre faux maître : *les religions organisées*, c'est-à-dire celles qui disent : "Si tu ne fais pas ce qu'on te dit, tu n'iras pas au ciel, nous seuls avons la *vérité*". Si la religion mène ta vie et que tu en acceptes la notion de bien et de mal ou si tu te laisses influencer par un culte ou une secte, tu n'es plus maître de ta vie. Les religions ont été formées, il y a de cela plusieurs siècles, pour aider à guider les gens. Ces gens n'étaient pas assez conscients pour se guider eux-mêmes. Mais comme dans tout ce qui existe sur la terre, il y a du *bon* et du *moins bon*. Dans chaque religion, certaines gens ont voulu abuser de leur pouvoir en faisant peur à la population. Vivre de peurs ne rend la vie ni harmonieuse ni paisible. Si ta religion te fait peur, c'est qu'elle est dépourvue d'amour. *DIEU est amour*. Il n'a jamais voulu faire peur à personne. Ce sont les humains qui sont des spécialistes à se faire peur. Celui qui aime cherche plutôt à guider, à apaiser et à aider.

Les religions d'aujourd'hui sont de plus en plus conscientes de ce phénomène d'amour. Elles ont réalisé que l'être humain ne veut plus vivre de peurs! Bien souvent, ce n'est pas la religion même qui n'est pas bien structurée mais les gens qui la représentent qui ne sont pas assez sensibilisés. C'est à toi d'avoir un bon discernement, de choisir les gens qui veulent te guider.

Si tu te sentais plus troublé qu'à l'ordinaire suite à ce que quelqu'un a pu te dire, si ta peur s'accentue, c'est que ce n'est pas bénéfique pour toi dans le moment. Ce que cette personne te dit n'est pas nécessairement mauvais; tu n'es tout simplement pas prêt à y faire face maintenant. Mets tout de côté et au moment où tu seras consentant à y faire face, tu le sauras.

Les médecins sont aussi de faux maîtres. Les médecins sont là pour aider tout être humain et non pour maîtriser leur vie. Je connais plusieurs personnes qui consultent leur médecin avant de prendre des décisions, soit pour partir en vacances, déménager, changer de travail ou pour toute autre chose. Le médecin peut déconseiller d'entreprendre quoi que ce soit à un client qui manifestement éprouve de la peur à le faire. Si la personne faisait confiance à son *DIEU* intérieur, elle n'exigerait pas l'opinion du médecin, elle prendrait ses propres décisions.

Le médecin a appris à guérir malaises et maladies mais il n'a pas appris à prendre des décisions pour les autres. Ils commencent à réaliser que le côté mental de l'être humain est beaucoup plus fort que le côté physique. Ils constatent que les gens se débarrassent de leur propre maladie sans avoir recours à une intervention médicale. Il est rassurant de voir que de plus en plus de médecins déconseillent l'usage de médicaments à leurs clients: "Tu es assez fort pour t'en sortir seul, sans médicaments".

Certaines personnes ont tellement besoin de leur médecin qu'au moindre petit problème elles courent le voir. Ce sont des personnes qui ne veulent pas prendre leur responsabilité. Elles veulent toujours que quelqu'un d'autre *"arrange leur vie"*. Si le médecin leur dit qu'elles n'ont rien, il est accusé d'être incompétent et elles poursuivent leurs démarches jusqu'à ce qu'elles en trouvent un qui leur prescrive un remède : "Je le savais que j'étais malade. Regarde on m'a donné une prescription". Elles en reviennent d'ailleurs très enchantées, et beaucoup moins malade qu'à leur départ.

Un autre faux maître : *les médicaments*. À la moindre chose qui ne tourne pas rond, on prend un comprimé : une pilule pour le mal de tête, pour les nerfs, pour dormir, pour se réveiller, pour se donner du pep, pour digérer, pour nettoyer le foie, pour éliminer, pour nettoyer les intestins, etc.

Agir ainsi est d'aller à l'encontre de l'amour de ton corps. Parce qu'à tout médicament il y a un effet secondaire. Il se révolte à chaque fois que tu lui donnes quelque chose autre qu'un élément nutritif naturel. Tu le surcharges de travail. Aussitôt que tu prends une pilule quelconque, tu acceptes l'idée que cette pilule est ton faux maître. Tu laisses les médicaments mener ta vie. Si ta vie te satisfait ainsi alors continue à prendre tes médicaments. Si tu veux transformer ta vie, il est grand temps que tu deviennes maître de toi. Personne au monde ne peut transformer ta vie... sauf toi !

Un autre faux maître : *la mode*. Combien de fois as-tu sacrifié ton confort vestimentaire simplement pour suivre la mode ou être considéré à la mode ? As-tu peur de ce que les autres vont penser ?

La maladie est aussi un faux maître. Une personne continuellement malade est maîtrisée par sa maladie. Elle ne réalise pas qu'elle peut maîtriser sa vie par elle-même. Plusieurs prennent pour acquis qu'être malade est normal ! Non, la maladie est habituelle. L'état normal du corps, c'est la santé !

Le travail peut s'avérer être un faux maître. Nombreux sont les gens qui ne savent pas se détendre. Toute leur vie est dirigée vers le travail. Le travail les mène constamment. Même pendant les moments de liberté, ils ne pensent qu'à leur travail. Il ne sont jamais capables de lâcher prise, de se détendre et de s'amuser à faire autre chose. Ils travaillent 7 jours sur 7.

Est-ce que ton travail t'aide à t'élever ? Te permet-il de devenir plus pur, plus parfait à l'intérieur ? Utilises-tu ton travail pour

t'apprendre à aimer les gens davantage ? Si oui, c'est que ton travail est valorisant pour toi. Si tu possèdes ce genre d'occupation où
tu apprends constamment à t'aimer et à aimer les gens de plus en
plus, tu sais que tu es sur la bonne route. Un travail qui mène les
gens ou en maîtrise leur vie, c'est-à-dire qui est fait seulement pour
la paye ou le pouvoir, n'est pas un travail qui aide à l'élévation
spirituelle.

Un autre faux maître : *les superstitions*. Le chiffre 13, un chat
noir... ça te dit quelque chose ? Est-ce que la superstition provoque des changements dans tes décisions ? C'est alors un faux maître. Si tu accumules tous les faux maîtres pour une seule et même
journée, tu constateras qu'au total, ce n'est plus toi qui maîtrises
ta vie.

Les faux maîtres les plus puissants chez l'humain sont : *l'orgueil,
les peurs, les culpabilités et l'argent.*

*L'orgueil a été discuté au chapitre précédent et les peurs et cul-
pabilités* sont à venir au Chapitre 19.

Je termine ce chapitre avec le faux maître qui maîtrise la vie d'une
quantité d'êtres humains : *l'argent*. Il est évident que l'argent a son
importance dans le monde matériel actuel. *L'argent est un moyen
d'échange et non un bien ou une possession.* Vouloir en accumuler par peur fait faire fausse route. Accumule-t-on de l'air au cas où
il en manquerait ? Est-ce sensé ? Il en est ainsi pour l'argent. L'argent
est une énergie tout comme l'électricité, l'eau et le vent. Ce sont
de grandes puissances qui ont été crées en même temps que la terre.
L'argent est à la fois une puissance et une énergie. Il est partout et
pour tout le monde. Il a toujours existé mais sous différentes formes. Actuellement, il est fait de papier et de monnaie.

Les moyens d'échange ont toujours existé afin de se procurer des
biens matériels. Accumuler de l'argent par crainte d'en manquer,
c'est le signe d'une bien pauvre foi, un manque de confiance en cette
grande puissance divine qui fournit à profusion toute l'énergie
nécessaire.

L'argent peut se comparer au soleil, une autre grande puissance,
grande énergie. Qu'il y ait trois ou trois cents personnes sur une

plage à se faire bronzer, manquera-t-il de soleil? Non. Il y en a pour tout le monde. C'est donc important de prendre conscience que l'argent est une énergie et comme toute énergie, plus tu la fais bouger, plus elle a de pouvoir et plus elle se multiplie.

Il est en ainsi de beaucoup de choses dans la nature. Chaque grain de blé d'Inde, de tomate, etc. utilisé, ensemencé reproduira des douzaines d'autres tomates ou épis de blé d'Inde. Si non ensemencés et conservés dans un tiroir, ces graines ne se multiplieront pas.

C'est un long processus que de se débarrasser de l'insécurité financière. Lors d'un désir, ta première pensée se lit-elle comme suit: "Combien cela m'en coûtera-t-il? Tu vas satisfaire ton désir uniquement si tu as suffisamment d'argent. Alors, tu vois comme l'argent mène ta vie? C'est ton compte de banque qui prend les décisions pour toi. Dans la vie, tu dois faire tout le contraire. Tu dois prendre ta décision et l'argent viendra par la suite.

Regarde un peu en arrière, tu as certainement déjà fait l'acquisition de quelque chose impulsivement. Tu as sûrement déjà acheté à crédit parce que tu ne possédais pas assez d'argent. Tu as sûrement déboursé de ton argent pour t'acheter quelque chose que tu croyais trop dispendieux mais qui représentait vraiment ce que tu désirais. Malgré ces dépenses tu as continué à vivre non? Tu as payé ton loyer et rien ne t'a privé de ta nourriture n'est-ce-pas? Tu vois tu as tout de même réussi à tout payer.

Regarde simplement autour de toi. Lors de ta commande à l'épicerie, choisis-tu tes aliments selon les spéciaux en cours? Est-ce les "prix" qui déterminent ce que tu achèteras pour te nourrir cette semaine? Je ne dis pas d'éviter les spéciaux. Si tu planifiais de faire l'achat d'articles dont tu ignorais la réduction, il est bien d'en acheter davantage, spécialement si c'est ce dont tu avais besoin. Je parle plutôt des gens qui se privent de ce qu'ils aiment parce qu'une toute autre marque est en spécial. Ils font l'achat de produits qui ne leur conviennent même pas. Il se procurent ce dont ils ont vraiment besoin uniquement si c'est en spécial! Cours-tu après les spéciaux, même si c'est de moindre qualité? Ne vaux-tu pas la peine de recevoir tout ce qui est de meilleure qualité? Cette image que tu te fais de toi-même n'incitera jamais les autres à te traiter de façon spéciale. Ne pars pas t'acheter un château en bordure d'un océan et une Mercédes pour autant. Débute par de petites victoires quotidiennes. Si tu désires acheter de bons fruits mais dont le prix te fait hésiter, regarde toute la valeur que tu possèdes... Tu verras, tu feras tout arriver au fur et à mesure. Plus tu fais circuler l'énergie de ton argent plus tu en recevras. L'argent est fait pour circuler et non pour accumuler. Si tu préfères garder ton argent en cas de malchance plutôt que de prendre des vacances, devine ce qui t'arrivera : une malchance ! L'être humain veut toujours avoir raison donc il fait tout provoquer pour se donner raison. Au moment de la malchance, on est d'ailleurs tenté de dire : "Ah ! j'ai bien fait ! Je savais qu'il allait m'arriver quelque chose".

Mets ton "au cas où" de côté et pars en vacances ! Oublie cette phrase : "Qu'est-ce que je vais faire s'il m'arrivait quelque chose ?" Dis-toi plutôt ceci : "Oui, je vais prendre mes vacances et puis s'il arrive de quoi, je m'en occuperai en temps et lieu". C'est ce qui se produira. Les problèmes de voiture sont imprévisibles, n'est-ce pas ? Tu fais tout de même réparer ta voiture sans avoir prévu l'argent à cette fin. Tu parviens à rejoindre les deux bouts, non ?

La plupart des gens placent leurs priorités au mauvais endroit. S'ils apprennent que leur téléviseur est trop défectueux pour être réparé, ils vont courir s'en acheter un autre. Il vont trouver le moyen de le payer ! Avoir un téléviseur, est-ce vraiment un besoin ? Nous savons tous que ce n'est pas un besoin mais quand l'humain décide qu'il veut vraiment quelque chose, il le fait arriver.

Nombreux sont les gens intéressés à prendre des cours au Centre. Mais dès la mention du prix, ils s'exclament en disant : "Ah ! c'est beaucoup plus cher que je pensais !" Ces gens-là sont les premiers à débourser des milliers de dollars pour aider les autres en besoin, mais quand vient le temps de penser à eux, ils ne pensent pas valoir quelque centaines de dollars... et peut-être en venir à transformer leur vie, se débarrasser de leurs peurs, leurs maladies, leur stress, pour enfin connaître le bonheur !

Se dire qu'on ne vaut pas la peine ne fait qu'attirer des problèmes. Voici un autre exemple : lorsque tu achètes un cadeau pour quelqu'un, ne choisis-tu pas ce que tu aimerais recevoir ? Les autres sont donc plus importants et méritent de recevoir plus que toi ? Regarde bien l'influence que l'argent a sur ta vie. Tant que l'argent sera ton maître, il te sera impossible de connaître un grand bonheur et une grande paix intérieure. Aussitôt que tu auras maîtrisé l'argent, les changements seront apparents.

Si tu crois à la grande loi *"on récolte ce que l'on sème"*, voici un petit secret. Dès maintenant envoie des pensées de prospérité à tous ceux que tu connais. Souhaite-leur d'avoir autant d'argent qu'ils le désirent. Tu feras tellement bouger d'énergie que ça va te revenir beaucoup plus vite que si tu pensais *argent* pour toi seulement.

Il est évident que la société actuelle ne favorise pas la pensée positive. Le but de ce livre n'est pas de changer tout le monde autour de toi mais plutôt transformer ta pensée à toi. Ne te laisse pas influencer par les autres. Ne parle même pas de ta nouvelle décision concernant l'argent. Commence par le faire intérieurement, mets-le en pratique dans ta vie et graduellement les gens en prendront connaissance. Tu n'as pas à révéler tes décisions à qui que ce soit. Ta foi ou ta force intérieure n'est peut-être pas assez forte pour faire face aux critiques négatives. Toutefois tu dois accepter que chacun exprime sa vérité même par la critique. Ils y croient autant que toi tu crois à la tienne.

Si tu as décidé d'avoir une attitude positive envers l'argent et que tu veuilles en devenir maître, fais-le sans arrière pensée de vouloir influencer les autres autour de toi. Tu n'as pas à rechercher le consentement de tout le monde. Quand eux seront prêts à changer leur attitude, ils le feront en temps et lieu. À chacun son évolution.

Quand on est heureux et qu'on a la paix intérieure, on n'a pas à le crier sur tous les toits. Ça se ressent. Les gens le voient et le sentent.

Quand tu auras maîtrisé l'argent, tu en auras toujours en surplus, tout en te payant tes besoins à chaque instant. Tes économies ne seront plus motivées par la peur. Ce n'est que ton surplus qui sera de côté.

LES FAUX-MAÎTRES

Comme tu as pu le remarquer, il y a plusieurs faux maîtres. Je suis certaine que tu peux en trouver davantage!

Pour terminer ce chapitre, je te conseille de faire une liste de tous les faux maîtres que tu as dans ta vie. Regarde celui qui a le plus d'influence sur toi. Prends la résolution pour les trois prochains jours, d'écrire à chaque fin de journée, qui a maîtrisé ta vie. Ne passe pas au prochain chapitre avant d'avoir accompli cette étape. Sois alerte face à l'argent, la peur, l'astrologie, les médicaments, etc. Qui maîtrise ta vie? Ton niveau de conscience s'élèvera et tu transformeras ton avenir pour le mieux.

L'affirmation à faire pendant les jours qui suivent:

> **JE SUIS LE SEUL MAÎTRE DE MA VIE. JE RÉALISE QU'EN PENSANT JE CRÉE. JE DEVIENS CE QUE JE PENSE ALORS MON BONHEUR, MA PROSPÉRITÉ, L'AMOUR ET L'HARMONIE DÉPENDENT DE MES PENSÉES.**

CHAPITRE 17
LES BESOINS DU CORPS MENTAL

Voici les sept besoins fondamentaux que tout être humain doit fournir à son corps mental. Si tu négliges de répondre à ces besoins, cela provoquera des effets dans ta vie physique, mentale ou émotionnelle.

Le premier besoin par ordre d'importance: *la vérité.*

N'est-il pas ennuyant de faire profiter de soi par le mensonge? Ta superconscience, ton moi intérieur, réagit de la même façon lorsque tu te mens à toi-même. La sensation est non moins désagréable. Écoute-toi parler lorsque tu t'adresses aux autres. Avouer que *"cela ne me dérange pas"* indique tout l'opposé. Si tu n'étais pas dérangé par ce que tu racontes, tu ne penserais même pas à le dire. La pensée que cela puisse être dérangeant n'existerait même pas. Aussitôt que tu affirmes que "cela ne me dérange pas" c'est que ça te dérange vraiment, sinon tu l'oublierais carrément. Alors sois vrai envers toi-même!

La vérité, comme mentionné au début du livre, est le chemin de la délivrance. Elle t'aide à monter dans ton corps supérieur. Être vrai signifie **penser, dire et faire la même chose.** T'arrive-t-il de songer à quelqu'un sans pouvoir lui révéler tes pensées? Encore faut-il faire la part des choses. Il ne s'agit pas de dire tout ce que tu penses à tout le monde mais si l'on te demande ton opinion sur quoi que ce soit, tu te dois de dire la vérité. Tes propos doivent être identiques à tes pensées. Lorsqu'une action s'y rapporte, on se doit d'agir en fonction de ce qui s'est dit et pensé.

La justice fait également partie de la vérité. Un acte d'injustice parvient à te faire frémir, n'est-ce pas? Tu en es mal à l'aise. Admettons que tu es témoin d'une mère qui agit injustement envers son enfant, qu'elle fait passer celui-ci toujours en dernier, tu en éprouves énormément de pitié. Eh bien! C'est exactment ce que tu provoques en agissant injustement envers toi-même. Ta superconscience, ton âme, n'est pas bien là-dedans. Tu crées un grand problème intérieur. À celui qui n'est pas vrai ou qui est injuste envers lui-même, le corps parle et envoie des messages en affectant la gorge et le système respiratoire.

Le deuxième besoin : *L'indivudualité.*

L'individualité, c'est être toi-même et non être ce que les autres attendent de toi. On doit cesser de penser aux "qu'en dira-t-on, que vont-ils faire, que vont-ils penser". L'habillement des jeunes d'aujourd'hui en est un bel exemple d'individualité. On crie "Au secours, laissez-moi *être* moi-même". Ces jeunes ont besoin de beaucoup plus d'espace que jamais auparavant. Ils étouffent à l'idée que leurs parents tentent de les mouler selon leur moule à eux ou selon celui qu'ils auraient aimé avoir alors que le courage leur a carrément manqué.

Les jeunes connaissent et ressentent beaucoup plus profondément les grandes lois naturelles. Ils ont leur façon d'affirmer leur individualité. La personne qui en est dépourvue, qui agit selon les autres, expérimentera des problèmes respiratoires et des allergies.

Le troisième besoin : *le respect.*

Il est très important de respecter les autres et de se respecter soi-même. Tu sais combien il est irritant lorsqu'un individu (policier, professeur, patron, parent) abuse de son autorité. Quand nous sentons chez quelqu'un qu'on se doit de le respecter mais que lui n'a pas à le faire, cela crée un bouleversement en soi. Une position d'autorité n'entraîne pas automatiquement un manque de respect envers les autres. Le respect est primordial chez l'être humain. Si l'on manque de respect envers toi, regarde ce que tu as semé. Respectes-tu vraiment les opinions, les idées et la façon de voir des autres ? Voudrais-tu changer certaines gens autour de toi ? C'est un manque de respect que de vouloir changer qui que ce soit.

Le niveau d'importance de ces trois besoins est identique à celui de l'air pour ton corps physique. C'est la raison pour laquelle on se doit de les reconnaître afin d'éviter toute allergie, affection respiratoire et problèmes de gorge.

Le quatrième besoin : *la sécurité.*

Bien des gens interprètent la sécurité par un bon compte de banque, un travail offrant plusieurs avantages sociaux, une belle maison, quantité de biens matériels et même avoir un/e conjoint/e. Tout ça n'est que fausse sécurité ; c'est ce qu'on appelle *être sécure dans son insécurité. LA VRAIE SÉCURITÉ, c'est la tranquilité d'esprit qui vient de la pensée et qu'il n'y a aucun danger à redouter.* C'est de savoir que fondamentalement, quoiqu'il arrive, tu as tout ce qu'il faut à l'intérieur de toi pour provoquer ce que tu veux voir se matérialiser et changer ce que tu ne veux pas. Il y a une solution à tout, car en réalité, dans la vie, on ne vit pas des problèmes mais plutôt on vit des expériences. Sache que tu es capable de passer à travers n'importe quelle situation. Tu as tout ce qu'il te faut, autant que n'importe qui d'autres. La seule différence qu'il peut y avoir, c'est la façon dont tu l'exprimes.

L'insécurité cause beaucoup de problèmes physiques en se manifestant par un mal dans le bas du ventre et dans le bas du dos. La peur de l'avenir affecte les yeux, les bras, les jambes ainsi que le système nerveux. Avoir peur de manquer d'argent ou accorder trop d'importance à l'argent affecte le nerf sciatique. C'est un message envoyé par le corps pour te dire que ta peur de manquer d'argent est une peur mal fondée. Il est même fréquent de voir quantité de gens insécures se mordant l'intérieur de la bouche.

Le cinquième besoin : *l'intégrité.*

Intégrité veut dire honnêteté absolue. Comment te sens-tu face à quelqu'un de malhonnête manquant à ses devoirs, à ses engagements, qui ne garde aucune promesse ? C'est la même chose envers toi-même. N'oublie pas que ces besoins s'appliquent autant à toi qu'aux autres. Une personne aux pensées ou aux actions malhonnêtes a des problèmes au niveau du système digestif : indigestion, diarrhée et problèmes de foie. Une personne qui vit beaucoup de culpabilité suite à sa malhonnêteté se provoquera des accidents.

La mauvaise haleine est souvent causée par des pensées honteuses et inconscientes qu'on ne voudrait surtout pas révéler à personne. Cette personne peut se considérer sale à l'intérieur. Sa mauvaise haleine est un signal de sa superconscience pour lui faire comprendre que cette pensée qu'elle a d'elle-même ne lui est pas bénéfique.

Le sixième besoin: *le guidage.*

On a besoin de sentir que quelqu'un d'autre a besoin de soi, qu'on est capable de guider et d'aider quelqu'un dans la vie. Chaque être humain a ce besoin. C'est le retour à la perfection divine; celle d'être au service des autres. On ressent ce grand besoin d'aider et de guider mais bien souvent on s'y prend de la mauvaise façon. Prendre des décisions pour les autres n'est pas ce qu'on appelle guider. Guider, c'est donner un conseil *sans attentes.* L'autre a le libre arbitre d'accepter ou de refuser ton conseil. C'est un grand besoin de ta dimension mentale que de guider et d'aider d'autres personnes. Mais souviens-toi qu'un conseil non demandé n'est jamais apprécié. On a tant de difficulté à se mêler de nos affaires.

Si tu brûles d'envie de donner conseil à ton interlocuteur, assure-toi de lui demander s'il veut bien l'entendre. S'il ne désire ni opinion ni avis, tu n'as plus qu'à l'accepter ainsi. Si au contraire il veut bien de ton aide, tu le lui donnes mais sans attentes. Cette personne en fera ce qu'elle voudra. C'est un cadeau que tu lui fais donc c'est à elle de décider de son utilisation. Donner un conseil qui n'est pas demandé ou qui est suivi d'attentes n'est qu'une dépense d'énergie inutile. Tu te vides de ton énergie pour recevoir quoi en retour? Si on ne répond pas à tes attentes tu vis des frustrations, des désappointements et de la colère. Si on y répond, ça ne fait qu'alimenter ton orgueil.

Une personne qui se croit sans valeur, qui pense que l'on a besoin ni d'elle ni de ses conseils aura des problèmes d'élimination rénale ou intestinale. Elle souffrira également d'arthrite si elle sent que l'on prend trop souvent avantage d'elle. C'est généralement une personne qui veut guider tous et chacun mais encore avec de nombreuses attentes. De là provient sa sensation que l'on profite d'elle. Les gens qui se croient sans valeur souffrent très souvent de solitude.

Le septième besoin : *la raison d'être.*

T'empresses-tu de te lever tous les jours pour accomplir ce que tu as à faire ? Ressens-tu une grande fierté de dévoiler ce en quoi consiste ton travail, tes occupations quotidiennes ? Le fais-tu avec enthousiasme ? Es-tu heureux de partager ce que tu fais ? As-tu une raison d'être ?

Manquer de raison d'être provoque les mêmes symptômes que pour les besoins du corps physique au niveau de l'exploration. Tout ce qui concerne les sens peut être affecté. Un signal tout aussi révélateur : celui d'un grand manque d'énergie ou souffrir d'anémie.

Termine ce chapitre par un examen de conscience. Écris sur une feuille les besoins de ton corps mental et regarde parmi toute cette nourriture laquelle a été négligée. Cela t'aidera à comprendre la présence de ton insatisfaction intérieure. Il n'en tient qu'à toi de prendre la décision de nourrir ton corps mental comme il se doit. Ces besoins fondamentaux sont pour chaque être humain. Tu ne fais pas exception à la règle. Écris quelle sera ta décision et remarque si dans les jours qui suivent, tu y as donné suite. Faire une prise de conscience n'est que la moitié du chemin de fait. C'est l'action que tu prends, suite à ta nouvelle décision, qui t'amènera indubitablement à ton but.

L'affirmation :

JE SUIS MAINTENANT DÉCIDÉ À RESPECTER LES BESOINS DE MON CORPS MENTAL ET JE RETROUVE AINSI LA SANTÉ MENTALE.

4ième PARTIE:

À L'ÉCOUTE
DE TON CORPS
ÉMOTIONNEL

CHAPITRE 18
SAVOIR EXPRIMER TES ÉMOTIONS

Voilà un chapitre que tu attendais avec impatience, j'en suis certaine. Puisque tu as mis plusieurs choses en pratique depuis le début du livre, il te sera facile maintenant de savoir exprimer une émotion de la bonne façon.

D'abord qu'est-ce qu'une émotion? Une émotion est un trouble, une agitation passagère provoquée par quelque chose d'extérieur. Un effet qui vient d'une cause extérieure. La majorité de nos émotions proviennent de nos attentes. Elles sont présentes car nous ne savons pas aimer. En puisant sa force à l'extérieur, l'émotion a tôt fait d'épuiser notre ''dose'' d'énergie.

L'amour guérit et la haine détruit! Donc plus l'émotion vient de la haine, plus elle détruit son maître violemment. Il y a une différence nettement distincte entre les émotions et les sentiments. Plusieurs personnes les confondent.

Que veux dire *"exprimer"* une émotion? Voilà une grande question. Plusieurs gens à maintes reprises m'ont approchée afin de trouver réponse à cette question: ''Je suis en thérapie depuis des années. On me dit d'exprimer mes émotions sans toutefois me dire ce que cela signifie. On n'a pas su me le dire! Dois-je pleurer, crier, casser la vaisselle? Que dois-je faire?''

C'est la raison pour laquelle j'ai mis sur pied une façon concrète d'exprimer une émotion: une façon qui aboutit à des résultats. Une émotion non maîtrisée se répétera constamment au cours de situations similaires. Prenons l'exemple de l'époux qui a l'habitude d'humilier sa femme devant la famille. Si quelque chose lui déplaît, il choisit d'être en famille pour le lui dire. L'épouse vit une émotion. Elle se met intérieurement en colère et se demande pourquoi il ne s'adresse jamais à elle lorsqu'ils sont à la maison seuls tous les deux. Lui faire une colère une fois revenus à la maison ne changera rien. Le mari recommencera et la même scène d'émotions se reproduira. Combien d'émotions reviennent depuis ton bas âge parce que tu n'as pas su les exprimer correctement?

Voici plusieurs façons habituelles d'exprimer ses émotions. Tu t'y reconnaîtras peut-être. Une façon très courante: celle de manger ou de boire par émotion. On croit qu'un bon snack nous fera du bien. Prendre des pillules pour les nerfs, se droguer, s'écraser devant la télévision, aller voir un bon film, lire, dormir, prendre un bon bain chaud, etc.

Voici différentes manifestations ou réactions causées par la colère: on peut s'asseoir et réfléchir en attendant le bon moment pour tout clarifier avec la personne concernée. Plusieurs fumeront. Certaines gens vont ignorer et refouler cette colère comme si rien ne s'était passé. D'autres travailleront avec plus d'acharnement se jetant à corps perdu dans leur ouvrage. Certains vont pleurer, faire du ménage, bricoler ou tout simplement bouder. D'autres se lanceront dans un sport parfois violent, alors que d'autres accuseront la personne directement ou le feront par téléphone.

Certaines personnes en riront, prétendant que cela ne les affecte pas. Plusieurs diront: "Je vais lui pardonner. Ce n'est pas de sa faute, il ne sait pas ce qu'il fait", tout en refusant d'accepter sa responsabilité.

Une des façons les plus courantes de réagir à la colère est de vider son sac à une tierce personne... ce qu'on appelle communément *"faire du dumping"* (anglicisme que j'aime bien utiliser). Bien des gens en sont des spécialistes"!

Exemple: l'épouse qui revient de son travail et raconte à son mari tout ce qui a mal été dans la journée, elle exprime sa mauvaise humeur à cause d'une compagne ou de son patron. Faire du "dumping" est la meilleure façon de mettre du trouble dans une relation. Personne n'y gagne à en faire, en écouter ou en endurer. La femme qui le fait subir à son mari a des attentes envers lui. Après l'énumération de ses problèmes, elle désire être consolée et qu'il lui donne raison. Lorsqu'il répond à ses attentes, elle s'exclamera satisfaite : "Ah! ça me fait tellement de bien de t'en parler. Tu as toujours le bon mot pour moi!"

Qu'est-ce qui a été réglé dans sa vie? Qu'a-t-elle fait? Elle est allée chercher l'énergie de son mari. De jour en jour, il se sentira vidé un peu plus, jusqu'à ce que cela détruise sa relation avec elle. Il se sentira de moins en moins heureux à son contact. Il aura de moins en moins le goût de communiquer avec elle car il n'y a pas d'échange d'énergie. La même situation peut se produire entre amis. Le "dumping" rend son auteur plein d'énergie mais la dose n'est que temporaire. La personne recommencera le lendemain et le surlendemain avec quiconque voudra bien écouter son "dumping". La *victime* qui endure ou tolère cela n'y gagne rien car elle se laisse vider de son énergie.

Il y a une solution pour régler ce problème. D'abord, écouter poliment et patiemment la personne concernée. À la fin de son "épisode de dumping", lui dire ceci : "Maintenant, dis-moi ce que tu comptes faire pour te sortir de ton problème".

Elle répondra sûrement : "Qu'est-ce que tu veux que je fasse? Je n'ai pas le choix, *c'est de la faute des autres*, je ne peux rien y faire". Alors tu lui dis bien délicatement que tu n'es plus intéressé d'entendre parler de ses problèmes car elle les aime. Si elle ne veut rien faire pour les changer, *c'est qu'elle n'en a pas encore assez*. Elle aime ses problèmes c'est-à-dire qu'elle les nourrit par ses pensées, leur donne de l'énergie et ils s'amplifient automatiquement.

Elle sera probablement de mauvaise humeur. Elle te trouvera sûrement injuste et dur. Par contre il se peut que tu l'aies suffisamment choquée pour qu'elle s'aperçoive qu'il est temps pour elle de faire quelque chose *dans sa vie*. Si elle ne t'utilisait que pour écouter son "dumping", elle te laissera tomber pour trouver quelqu'un d'autre avec qui le faire. Tu n'auras pas perdu grand-chose. Tu auras simplement conservé ton énergie. Telle est la différence entre partager et faire du "dumping".

Chercher à se faire sentir bien en parlant de ses problèmes, c'est du "dumping". *Partager* quelque chose de désagréable consiste à raconter ce que nous avons vécu ou vivons présentement dans le but d'y trouver une solution ou soit un changement pour y remédier. Le partage est sans attentes. C'est pourquoi il est important que deux conjoints apprennent à partager toute grande joie ou désagrément de leur vie comme le font deux amis. Partager est de prendre ta responsabilité dans tout ce qui t'arrive.

Comme tu peux le constater, il y a bien des façons d'exprimer une émotion. Les pires parmi celles que je viens d'énumérer sont celles où tu ne fais rien, où tu prétends que cela ne te dérange pas. Agir ainsi, c'est d'avaler tes émotions.

On entend souvent : ''Je ne m'abaisserai pas à lui dire qu'il/elle m'a mis en colère, qu'il/elle m'a dérangé''. Avaler ses émotions est souvent la cause d'un excès de poids et engendre automatiquement beaucoup d'autres problèmes physiques.

On dit que *''la maladie''* des émotions refoulées, donc non exprimées, *est le cancer.* Ce sont des émotions qui finissent par éclater et, par le fait même, font éclater tes cellules.

S'exprimer en pleurant, en criant, en marchant ou en faisant du sport n'est pas aussi nuisible que de tout refouler, c'est simplement une forme quelconque d'expression.

Voici la façon suggérée d'exprimer une émotion. Chaque fois que tu feras cet exercice, que tu le feras vraiment avec ton coeur, tu ne vivras plus d'émotions même si une situation identique se présente à nouveau dans ta vie. Tu constateras que la situation est bien là mais que tes émotions antérieures n'y sont plus. C'est merveilleux, n'est-ce pas? Tu peux te débarrasser de toutes les émotions que tu vis depuis ton jeune âge.

Premièrement, il est très important *d'identifier l'émotion*, de savoir ce qui se passe. Est-ce de la peine, de la colère, du désappointement, de la frustration, de la peur, de l'anxiété, de la rancune, de l'agressivité, etc.? Quelle que soit l'émotion, il suffit de l'identifier.

La deuxième étape est un peu plus difficile. Il s'agit *d'accepter la responsabilité de l'émotion*. Accepter que c'est toi qui as créé ton émotion. C'est toi qui t'es laissé influencer par l'extérieur, par ce que tu as vu ou entendu alors que tu aurais pu avoir une attitude totalement différente.

Exemple. Une de tes très grandes amies s'amène près de toi vêtue d'une toute nouvelle robe. En l'apercevant tu ne peux t'empêcher de constater que la couleur de sa robe ne lui convient pas du tout. Selon toi elle paraît plus âgée et son teint semble plus terne. Tu te dis intérieurement : "Je dois lui rendre service et lui dire que cette couleur ne lui va pas du tout. Elle devrait éviter de s'acheter des vêtements de cette couleur. Il faut que quelqu'un le lui dise. Elle ne semble pas le réaliser". Donc tu décides d'être l'âme charitable afin de lui rendre service.

Cette amie a trois choix. Le premier, elle te remercie : "Mon Dieu, c'est gentil de me le dire. C'est la première fois que j'achète un morceau de cette couleur. Ça t'a pris du courage afin d'être capable de me le dire. Je te remercie de ton opinion". Elle vit ainsi de la joie suite à ta décision de lui en avoir fait part. Une deuxième réaction peut s'avérer sans émotion. Elle peut décider de rester neutre : "Bah ! c'est son choix si elle n'aime pas cette couleur c'est bien son droit". Et elle n'en fera pas de cas. En troisième lieu, cette amie peut se mettre royalement en colère, en pensant : "Je ne lui ai pas demandé son opinion, qu'a-t-elle à me dire des choses comme ça ! Je ne le lui ai jamais demandé ! Quand j'aurai ma chance. . . je me reprendrai. . . Moi aussi, je me permettrai de lui dire ce que je n'aime pas d'elle !"

Faisant suite au troisième exemple, que la colère soit exprimée ou non, on doit en trouver la cause. Qu'est-ce qui provoque cette émotion? Les commentaires ou la façon dont elle l'a interprétée?

Toutes les émotions de l'être humain viennent de la même source : la pensée. Ce n'est *jamais* la faute des autres. *Jamais. Sans exception.* Selon la grande loi de la responsabilité, tu es *l'unique responsable* de tes émotions.

Revenons à l'exemple du conjoint qui humilie sa femme devant la parenté. L'attitude de l'épouse serait différente si elle prenait la responsabilité de son émotion. Sa responsabilité serait de regarder son mari d'une autre façon : "Le pauvre homme, il doit avoir peur de moi s'il est incapable de me le dire lorsque nous sommes seuls. Qu'est-ce que je fais dans ma vie. . .? Quelle est mon attitude envers lui qui l'effraie au point de ne pas me révéler son opinion. Ai-je une attitude trop autoritaire avec lui? Est-ce que je l'écoute vraiment quand il me donne son opinion, ou si je m'empresse de le convaincre de la mienne?''

Si tu acceptes la responsabilité que tu récoltes toujours ce que tu sèmes, tu regarderas la situation d'un point de vue totalement différent. Si la présente situation est chose courante dans ta vie, demande-toi ce qu'il y a dans ton attitude qui provoque cette réaction chez ton mari. Plutôt que d'être en colère contre sa façon d'agir, accepte ta responsabilité. Tu constateras qu'à plusieurs reprises tu essaies de le changer et qu'il t'arrive même de le critiquer devant d'autres personnes, et même en son absence. Son attitude est sa façon à lui de réclamer son espace. Il se sent étouffé par des attitudes autoritaires. Toutefois, il n'en est pas vraiment conscient, de là son instinct de survie qui prend le dessus. À chaque fois que l'on appuie sur un bouton pour te faire réagir, c'est que l'on tente de te dire: ''Je ne veux que reprendre mon espace. J'étouffe!'' Cette situation est sans méchanceté. Ce n'est qu'un grand signal dirigé vers toi pour t'avertir que tu empiètes dans l'espace de l'autre. Il cherche donc à réclamer son espace.

En acceptant ta responsabilité, ton émotion se dissipe peu à peu. La colère face à ton mari commence à diminuer. En le regardant bien tu le verras différemment.

La troisième étape est d'aller *t'exprimer à la personne concernée*. Cette étape n'est pas nécessaire si tu as accepté ta responsabilité avec tout ton coeur. Toutefois je te conseille fortement de la mettre en pratique, justement pour voir si tu as agi avec ton coeur et non avec ta tête. Peu d'êtres humains possèdent cette notion de responsabilité à 100%. C'est pourquoi au premier essai il est tentant de dire que l'on a vraiment agi avec *le coeur* alors que c'était *la tête* qui avait encore pris le dessus. Il ne sert à rien de se raconter des histoires.

Voici une façon de s'exprimer, toujours en poursuivant avec la situation précitée. Donc tu reviens chez toi avec ton mari. Tu lui expliques ce que tu as vécu et ressenti durant la soirée lorsqu'il t'a humiliée et l'instant de colère que tu as ressentie envers lui. Tu as réalisé, après t'être mûrement questionnée, que tu étais vraiment dans son espace et que tu veux souvent le changer. Tu comprends maintenant que son attitude était sa façon à lui de revenir à la charge. Tu n'y avais jamais songé auparavant.

Tu ne fais que lui exprimer ce que tu as vécu. Il est bien important de ne l'exprimer *qu'après* avoir accepté toute ta responsabilité. Si tu ne te crois pas responsable de ta colère, ce sera de l'accusation, plutôt qu'un partage. Si tu arrives chez toi en lui disant ''je veux te faire part que je me suis sentie frustrée et je vivais de la colère quand tu m'as humiliée devant tout le monde'' il ressentira beaucoup d'accusation. Tout comme lui dire : ''J'essaierai de ne plus me laisser déranger par ça, tu as certainement tes raisons''. Il entendra que c'est de sa faute si tu vis de la colère. Si seulement il pouvait changer et cesser de t'humilier devant ta famille ! En changeant, tu serais plus heureuse et tu n'aurais plus à vivre d'émotions... Un vieil adage dit : ''Plus on résiste, plus ça persiste''. Plus tu veux le changer, plus la situation se reproduit.

Il te promettra sans doute de ne plus recommencer mais cela arrivera de nouveau. Le moyen le plus efficace à ma connaissance est d'aller avec ton coeur et d'attendre d'avoir fait le processus d'avoir accepté que c'est toi, avec ton attitude, qui as provoqué celle de ton conjoint. La grande notion de responsabilité est d'accepter que tout ce qui nous arrive vient toujours de ce qu'on a semé auparavant. Avec tes nombreuses pratiques quotidiennes, tu arriveras à accepter cette responsabilité.

Maîtriser ses émotions demande énormément d'exercices. Je connais très peu de gens qui n'ont vécu aucune émotion un jour ou l'autre. Essaie d'imaginer une situation où quelqu'un t'approche en te faisant part de ses émotions face à ce que tu lui as dit et comment cette personne a réalisé qu'elle en est responsable. Tu ressentiras beaucoup de bien-être en toi et cet entretien te rapprochera de cette personne. C'est pourquoi il est important d'exprimer toute émotion !

Vivre de la colère et t'en débarrasser en prenant ta responsabilité c'est bien mais si tu ne l'exprimes pas à la personne concernée, tu perds une occasion idéale d'exprimer de l'amour qui crée un lien de rapprochement si bénéfique pour un couple, entre amis ou entre parents-enfants. Aller trouver la personne concernée et lui raconter ce qui a été vécu est un signe de confiance en soi et aux autres.

Si une situation semblable se représentait, une fois le processus de responsabilité accepté, tu n'éprouves plus jamais cette émotion de colère. Elle ne revient plus. Tu t'aperçois graduellement qu'en te libérant de tes émotions, tu te libères de tes vieilles rancunes. Tu as peut-être vécu certaines émotions avec tes frères, tes soeurs, tes amis qui datent de plusieurs années et que tu n'as jamais osé exprimer. Tu as tout gardé en dedans depuis car tu croyais qu'eux seuls en étaient responsables. Il n'en tient qu'à toi maintenant de cesser de refouler tes émotions, d'en prendre la responsabilité, et d'aller les exprimer à qui de droit. Tu expérimenteras non seulement un changement intérieur mais également un changement physique. Ton tour de taille commencera à s'amincir, même si tu es déjà mince.

Le centre d'énergie des émotions est situé entre le nombril et la région du coeur. C'est pour cela qu'avec l'âge, la taille s'épaissit chez les hommes et les femmes. On remarque toutefois que c'est chez les hommes qu'elle s'épaissit le plus. Ils *avalent* davantage leurs émotions.

Parmi les milliers de personnes qui ont appris à maîtriser leurs émotions, j'ai vu se produire des changements radicaux. Nombre de personnes ont perdu jusqu'à six pouces de tour de taille dans l'espace de deux à trois mois. Certaines personnes ne perdent pas de poids mais réussissent à amincir leur tour de taille de plusieurs pouces en l'espace de dix semaines (durée du'une session de cours à Écoute Ton Corps).

Il est facile de constater, dès lors, que ces gens sont en train de se libérer de vieilles émotions avalées. En agissant ainsi, ils s'aident également à se débarrasser de plusieurs maladies causées par trop d'émotions refoulées. ***Ils ont trouvé l'antidote au cancer.***

Quand tu apprends à exprimer tes émotions au fur et à mesure, je te garantis que tu n'auras plus jamais à t'en faire. Mais prends garde, assure-toi que tu fais tout *avec ton coeur et non avec ta tête*. Tu n'y gagneras rien à te raconter des histoires. Tu sauras si c'est avec ton coeur au moment où tu t'exprimes à la personne concernée.

Si tu as espoir qu'elle changera ses agissements suite à ton partage, tu es encore dans ta tête. Tu n'acceptes pas l'entière responsabilité de tes émotions. L'accepter est de cesser d'en vouloir à l'autre même si l'action se répète à nouveau.

Autre exemple : supposons que des portes d'armoires ouvertes te dérangent. Tu vis beaucoup d'impatience et même de la colère lorsqu'un membre de ta famille laisse les portes d'armoires ouvertes. Quand tu réalises enfin que c'est un détail très banal dans la vie de tous les jours, qu'elles soient ouvertes ou non et que, dans le fond, ça ne fait pas grand différence dans ta vie, dans ta pensée, dans ton *"être"*, et que tu te dises : "C'est moi qui aime les portes d'armoires fermées. C'est donc à moi de les fermer". À partir de cet instant, tu cesses de vivre des émotions. Les portes ouvertes ne te dérangent plus. Tu constateras, avec surprise, qu'à partir de ce moment, les gens de ta famille les ferment sans même s'en rendre compte. Ils ne sentent plus que tu essaies de les changer. Lorsque tout a été accepté dans ton coeur, plus rien n'est grave, plus rien ne te dérange. Quel soulagement !

Avant de passer au chapitre suivant, il est très important d'exprimer au moins une émotion à quelqu'un. Ce peut être une émotion passée, qui est encore présente en dedans de toi et qui n'a pas été exprimée ou ce peut être une émotion que tu vivras au cours de la journée ou demain, face à un événement. Il est important de l'exprimer toi-même après y avoir vu ta responsabilité ; en voyant que tu n'as pas su aimer.

Mets en pratique les trois étapes énumérées ci-dessus et tu verras par toi-même tout le bien-être intérieur que cela peut te procurer.

Tu vois, tout revient au même point : accepter l'amour dans toute parole, geste et pensée. Vivre une émotion, c'est se sentir menacé alors qu'en réalité, on fait face à *quelqu'un qui s'exprime différemment de nous ou qui n'aime pas sa propre vie*.

L'affirmation à faire pour les jours qui suivent :

J'ACCEPTE TOUTES MES ÉMOTIONS ET JE SAIS QUE J'AI LE POUVOIR DE LES MAÎTRISER EN ACCEPTANT MA RESPONSABILITÉ ET EN LES EXPRIMANT À LA PERSONNE CONCERNÉE.

CHAPITRE 19
LES PEURS / LES CULPABILITÉS

Ce sont les deux émotions les plus répandues et les plus développées chez l'être humain. Je ne connais personne qui n'ait jamais eu peur dans sa vie et qui ne ressente, encore aujourd'hui, une certaine crainte.

La peur, comme toute émotion, vient de la pensée. Ce que tu crains peut laisser une autre personne indifférente. Il est évident que certaines gens sont plus braves que d'autres. Plusieurs arrivent à dominer leurs peurs. Si un chien de grande taille te sautait dessus, tu éprouverais une peur certaine car tu reconnaîtrais le danger. Cette peur est réelle pour toi. Par contre d'autres personnes, dans la même situation, réagiraient bien différemment car ils sont en constante harmonie avec les animaux. Ainsi au premier élan ils sont déjà convaincus que le chien ne cherche pas à faire mal. C'est sa façon à lui de s'amuser, tout comme l'humain a des impulsions différentes pour exprimer la joie et l'amour.

Le plus important est de prendre conscience de ta peur afin de définir si elle est réelle ou non. S'il y a un danger réel pour ton corps physique, au moment où tu as peur, il est alors très humain de vivre de la crainte à cet instant. Ton corps sait exactement combien d'adrénaline te fournir pour faire face à cette situation.

Présentement il y a beaucoup plus de peurs irréelles dans ce bas monde que de peurs réelles.

Recule dans ta vie de quelques mois. Combien de fois t'est-il arrivé depuis trois mois d'avoir une peur réelle où tu étais véritablement en danger pour ta vie?

Tout le reste des peurs viennent tout simplement de la pensée. Lorsqu'une peur est fréquente, c'est qu'elle nous a été inculquée par nos parents depuis notre tendre enfance et peut-être même avant la naissance. L'enfant reçoit et accepte les notions de peur suite à la surprotection des parents (peur que bébé tombe, attrape froid, soit malade). Ils croient qu'avoir peur est un comportement normal mais il n'est pas normal mais plutôt habituel chez l'être humain. Comme déjà mentionné dans ce livre, l'être humain, par sa pensée, forme une image dans le monde invisible que l'on nomme "élémental". Plus on lui donne d'énergie, plus on alimente cet élémental. Éventuellement, il se matérialise et devient réalité dans le monde visible.

Ceci t'aidera sûrement à comprendre comment un individu qui craint de se faire voler se fait voler et pourquoi celle qui craint de se faire violer se fait violer. Tout se concrétise de façon inconsciente. Plus on a peur plus on finit par donner vie à cette peur. Être plus conscient aide certainement à s'en débarrasser mais la tâche devient plus ardue lorsque ces peurs s'avèrent être inconscientes. En apprenant à devenir plus conscient, en faisant quantité d'exercices d'amour, de prises de conscience sur toi-même, plusieurs de ces peurs inconscientes monteront à la surface. En apprenant à les reconnaître, tu pourras les maîtriser davantage.

Autre exemple : étant jeune, tes parents t'ont laissé à quelque endroit inconnu pendant un mois. Tu as alors fortement réagi en croyant perdre tes parents et en craignant d'être rejeté. Tu peux avoir décidé dès cet âge, que le rejet est intolérable à supporter et depuis ce temps tu crains le rejet. Tu en as tellement peur que tu le provoques continuellement. Aussitôt que tu te rapproches de personnes qui te sont très chères, tu fais arriver inconsciemment des circonstances où ces gens te rejettent.

L'enfant qui craint le rejet se fait rejeter à l'école, chez lui et plus tard par son conjoint. Sa décision prise étant jeune l'affectera jusqu'à ce qu'il parvienne à la découvrir afin de la maîtriser. Les peurs sont tellement subtiles qu'elles engendrent de nouvelles peurs qui s'infiltrent graduellement dans la personne pour devenir des phobies.

Il y a une grande variété de peurs : peur de la noirceur, de l'eau, des tunnels, des ponts, des ascenseurs, peur de se retrouver enfermé dans un endroit exigu, peur de rougir, d'engraisser, peur de manquer d'argent, peur des animaux, du trafic, des hauteurs, des microbes, des foules, de la mort, peur d'être malade, peur des accidents, du feu, des avions, des injections, et combien d'autres !

Il y a des peurs encore plus subtiles : celle de ne pas être à la hauteur d'une situation, peur de faire rire de soi, peur de ne pas être accepté, peur d'être rejeté, humilié, peur de se faire critiquer, peur de se faire accuser, peur de blesser. Tu vois combien les peurs ont d'emprise chez l'être humain.

Les personnes les plus susceptibles de vivre des peurs sont celles dont les parents étaient insécures et anxieux et qui ne pouvaient faire face à leurs problèmes. Ces problèmes émotifs amènent les parents à porter une trop grande attention aux peurs de leurs enfants.

Selon les recherches effectuées dans ce domaine, il est dit qu'il se vit beaucoup plus de peurs et phobies chez les femmes que chez les hommes.

Une peur se développe en phobie, c'est-à-dire en une peur chronique au moment de changements importants dans sa vie. L'ordre de ces changements, pour un individu, pourrait se définir comme suit : la rentrée à l'école, l'adolescence, l'âge adulte, le mariage, la naissance des enfants, la mort du conjoint ou le divorce ou encore la mort d'un être cher. Ce sont des moments critiques où les peurs d'une personne peuvent s'accentuer et devenir des phobies.

Voici, selon une récente recherche, la proportion en Amérique des phobies les plus reconnues :

60% l'agoraphobie
22% la maladie ou la blessure
8% la mort et les foules
4% les animaux
2% la noirceur
2% la hauteur
2% autres peurs

Comme tu peux le constater, l'agoraphobie est une des peurs la plus courante chez l'être humain.

Qu'est-ce que l'agoraphobie? C'est un bien grand mot qui décrit tout simplement "la peur d'avoir peur". J'ai eu la chance de travailler de très près avec plusieurs agoraphobes et je dois avouer qu'au début cette phobie semble très difficile à maîtriser et fait énormément peur à la personne qui en souffre. Mais les agoraphobes peuvent garder espoir, car cette *"peur d'avoir peur"* n'est pas invincible. Plusieurs s'en sont libérés.

Le plus difficile pour les gens agoraphobes, c'est qu'ils vivent deux détresses à la fois. Tout d'abord la situation comme telle qui leur fait peur ensuite le fait de savoir que les autres, qui sont privés de crainte, les croient fous, stupides ou faibles. C'est la raison pour laquelle une personne qui souffre de grandes peurs cherchera toujours à les camoufler. Dans le milieu familial ça devient plus compliqué. Ce qui nuit davantage, c'est lorsque l'un des conjoints accepte les peurs de l'autre et commence à la/le surprotéger.

L'agoraphobie sous-entend la peur d'être loin d'un endroit connu ou d'une personne sécurisante. Ce peut être le mari, l'épouse, le père ou la mère ou même les enfants. L'endroit sécurisant est généralement le domicile. Quand l'agoraphobe est dépourvu de cette sécurité, la peur l'envahit. L'agoraphobe craint d'être seul dans des endroits publics, a peur de perdre connaissance, de tomber, de faire une crise cardiaque, a peur d'avoir l'air ridicule devant les gens et a peur de se retrouver seul au milieu d'une foule. Un agoraphobe se croit seul.

En réalité il ne lui arrive pratiquement jamais rien. On reconnaît l'agoraphobe à ces réactions physiques: étourdissements, grande tension ou grande faiblesse musculaire, transpiration excessive, difficultés respiratoires, nausées, incontinence d'urine, palpitations cardiaques. Si par moment, ces symptômes semblent se manifester alors que tu es seul, ce peut être une indication d'un début d'agoraphobie. Les personnes qui en souffrent depuis plusieurs années en viennent à ne plus sortir seules de chez elles, ne serait-ce même que pour aller à l'épicerie du coin. Ce qui est bien typique de l'agoraphobe, c'est qu'il a peur de perdre contrôle mais en vérité ne le perd pratiquement jamais.

Il est très important d'accepter que ce n'est qu'une phobie créée par des peurs devenues extrêmes et par conséquent une trop grande énergie a été ou est fournie à son élémental. Il suffit de couper cette énergie pour tout faire disparaître.

Le meilleur moyen de faire face à une peur est de prendre une action envers elle; faire une action comme si la peur nous était inconnue. Il s'agit de commencer par de petites victoires quotidiennes. Celui qui a peur des hauteurs doit s'aventurer dans les hauteurs. Celui qui craint les animaux doit les approcher en choisissant d'abord un animal de petite taille. Quelle que soit la petitesse des victoires, on se doit de se féliciter. La famille devrait encourager la personne dans chacune de ses victoires. La peur ne se raisonne pas. Essayer de vaincre ses peurs par la raison n'aboutit jamais à rien. Le raisonnement n'est pas la solution. La méthode la plus efficace est l'action.

L'employé qui craint son patron mais qui désire réclamer une augmentation n'avancera à rien à rester assis à son bureau. L'idéal est d'aller frapper à la porte du patron, entrer dans son bureau et expliquer le pourquoi de sa visite en prenant soin d'exprimer son émotion de peur. On n'a pas à avoir peur d'avouer une peur. L'exprimer nous aide à l'accepter davantage et la maîtrise devient plus facile. Les gens qui vivent constamment de peurs sont tourmentés par la petite voix intérieure ''CANTA'' qui les harcèle sans arrêt, jour et nuit.

Tenter d'éclipser cette voix par la boisson ou par la drogue n'est pas la réponse. L'effet dissipé, la voix revient à la charge, au galop!

Aussitôt que tu éprouves de la peur face à quelque chose, regarde ce que tu as à perdre ou à gagner en agissant de la sorte. Lorsque tu constates qu'il y a plus à gagner qu'à perdre, tu dois cesser de résister. Si au contraire il y a plus à perdre qu'à gagner, prends le temps de réfléchir avant de t'y lancer. À combien de reprises dans ta vie as-tu freiné tes actions et tes paroles dues à une trop grande peur? Avouer ta peur ou y faire face t'aidera à gagner des choses extraordinaires pour toi.

Un autre aspect négatif de la peur : celui de nous faire prendre de mauvaises décisions. Si pour une même soirée deux activités se présentent et que tu demeures indécis quant au choix, regarde si ton hésitation est motivée par la peur. Si tu laisses la peur te contrôler inévitablement tu prends la mauvaise décision.

La peur peut devenir un guide seulement si tu demeures alerte et conscient et si tu essaies de comprendre le motif de sa présence. Exemple : on t'invite à te rendre à une soirée qui ne t'attire aucunement ; tu acceptes uniquement par peur de déplaire aux gens ainsi qu'à ta famille ; tu prends une mauvaise décision. La peur t'a motivé. Si on t'invite à une réunion mais que tu décides de rester chez toi car revenir seul à la noirceur t'effraie, c'est à nouveau une mauvaise décision. Être motivé par la peur n'entraîne que du désappointement et de l'insatisfaction. L'amour de soi en est affecté. Cela crée un malaise intérieur.

Plus tu accumules d'émotions plus tu t'ouvres aux autres émotions circulant dans le cosmos. Les peurs en font partie. Les vibrations de peur sont constamment autour de toi dans l'invisible. Tu les capteras et les laisseras pénétrer en toi tant et aussi longtemps que tu n'auras pas appris à maîtriser tes peurs. Imagine que tes corps subtils forment une bulle protectrice autour de toi. Prétends que la carapace de cette bulle renferme toutes tes peurs maîtrisées. Pour chaque peur non contrôlée, une fissure apparaît et laisse entrer un courant de peurs similaires qui vient ébranler ton harmonie. En maîtrisant ta vie et en vivant beaucoup d'amour, tu solidifies ta bulle. Tu la refermes et tu deviens impénétrable, tout comme elle, à toutes vibrations négatives destructrices.

La culpabilité ! Une autre émotion qui mène la vie de plusieurs personnes. Il y a une très grande différence entre *être coupable* et *se sentir coupable*. L'être humain est le spécialiste par excellence dans l'art de se sentir coupable. Tout le monde se sent coupable sans toutefois l'être vraiment.

Être coupable c'est d'être conscient de faire quelque chose de nuisible envers quelqu'un ou envers soi-même. Regarde à l'intérieur de toi. À quand date la dernière fois où tu as agi de façon consciente dans le but de nuire à quelqu'un? À quand date ce moment où tu faisais tort à quelqu'un en le sachant intérieurement? Je suis certaine que ce souvenir te semble très loin. C'est chose courante car très peu de gens sont vraiment coupables.

Accepter sa perfection est un moyen efficace en tout temps pour te libérer de cette culpabilité. Prenons comme exemple la possibilité que tu aies insulté (sans intention) une personne. Celle-ci s'étant mise en colère te fait sentir coupable : ''Mon Dieu je n'aurais peut-être pas dû lui dire, ç'aurait été préférable que je dise ceci ou cela''. À cet instant prends le temps de t'arrêter et demande-toi : ''Suis-je coupable oui ou non? Ai-je parlé à cette personne dans le but de lui faire du mal? L'ai-je fait intentionnellement et consciemment?'' Non, alors tu n'es pas coupable.

Tu n'as pas à demander pardon ni à te sentir coupable. Si tu persistes à penser de la sorte tu te provoqueras un accident ! Ta superconscience t'enverra ce message afin de t'avertir que cette attitude de culpabilité ne t'est pas bénéfique. Par contre si on t'a déjà blessé et que tu comptes te venger en blessant l'autre à son tour, tu es coupable car tu agis consciemment. Tu ressentiras d'ailleurs un tiraillement intérieur qui te forcera à avouer : ''Oui, je suis coupable. Je m'étais bien promis de me venger''. Alors il devient très important, pour neutraliser ta culpabilité, de demander pardon à la personne concernée ; que tu l'aies accusée en paroles ou en pensées. Il en va de même pour toi. Pardonne-toi si tu es coupable envers toi-même.

N'oublie pas que chaque pensée, bonne ou mauvaise, est une vibration lancée dans le monde invisible. Cette vibration est reçue par la personne concernée sans qu'elle ne s'en rende compte. Que ce soit une pensée de haine, de colère, d'accusation ou d'amour, cette pensée atteindra la personne visée. Il est difficile d'accepter cette théorie que tout se passe dans le monde invisible mais . . . tout ceci est bel et bien vrai.

Ne ressens-tu pas un malaise parfois étant placé près d'une certaine personne? Tu ignores la provenance de ce malaise mais tu ne peux t'empêcher de le ressentir. Ceci peut même se produire en compagnie d'un ami avec qui tu as vécu certaines émotions dernièment. Rien n'a changé en paroles ou en apparence mais au niveau des pensées quelque chose ne va plus. Ce malaise peut venir de tes pensées ou des siennes. C'est une indication que l'un ou l'autre va à l'encontre de l'amour.

Pour apprendre à se purifier intérieurement et apprendre à aimer de la vraie façon, il suffit de le faire en entier c'est-à-dire de se débarrasser de chaque émotion à mesure qu'elle se présente. Quand tu es coupable en pensée, en parole ou en action, il est important de demander pardon. Fais-le pour toi. Ne te préoccupe pas de la réaction de l'autre. Ne te fais pas de souci avant même de l'avoir approché : "Qu'est-ce qu'il va dire? Que va-t-il penser? Et si je faisais rire de moi? Et si on m'accusait?" Tout ça n'est que ta petite voix "CANTA" qui vient te troubler.

Comment réagirais-tu dans une situation comme celle-ci : une personne s'est fait voler 20$ dans sa bourse. Sa première pensée avait été de t'en accuser. Mais elle s'aperçoit de son injustice et vient te trouver pour t'en faire part : "Tu sais quand le 20$ a disparu de ma bourse, j'ai pensé que c'était toi qui avais fait ça. Je viens te demander pardon parce que je m'aperçois maintenant que j'ai été injuste d'avoir douté de toi." Alors comment vas-tu réagir à cette demande de pardon? Vas-tu lui tomber sur la tête? Vas-tu l'haïr? Certainement non! Une telle marque de confiance vous rapproche davantage. Tu admires son grand courage et sa grande sincérité. Tu l'aimes encore plus. Quand on parle avec son coeur, on ne peut faire autrement que de toucher le coeur de l'autre personne. C'est une des lois naturelles : *Coeur à coeur!* et non : *Tête à tête!*

Écoute-toi parler! As-tu d'innombrables excuses? Une personne qui passe son temps à s'excuser se sent généralement coupable. On dit que lorsqu'on *s'excuse, on s'accuse.*

Tu vas découvrir que la personne envers qui tu es le plus souvent coupable c'est toi-même. Combien de fois t'arrive-t-il de t'accuser injustement, de te crier des noms et de t'en vouloir d'avoir oublié quoi que ce soit? Tu fais tout au meilleur de ta connaissance. Tu n'as pas à t'accuser. Demande-toi pardon, demande pardon à ROUMA. Apprends à t'aimer davantage, à accepter ta perfection. Tu verras qu'accepter la perfection des autres deviendra plus facile.

S'il t'arrive de casser un verre en lavant la vaisselle, te sens-tu coupable? Avais-tu l'intention de casser ce verre pour le simple plaisir de le casser? Non, c'est arrivé comme ça. Tu n'as jamais chercher consciemment à casser le verre. Alors pourquoi te choquer, te réprimander et t'en vouloir? Cette situation est aussi vraie pour toi comme pour les autres. Tu n'es pas la seule personne à avoir des accidents. L'accident est une punition en elle-même pour se déculpabiliser. L'accident est un message de ton corps pour t'indiquer que tu viens d'avoir une pensée de culpabilité mais que tu n'es pas coupable. Un accident veut tout simplement dire: "Veux-tu arrêter de te sentir coupable, de t'accuser injustement, de... *tu n'es pas coupable!*.

Avant de passer au chapitre suivant, indique une de tes peurs et prends une action afin d'y faire face. Choisis n'importe laquelle et commence à te pratiquer à la maîtriser, prends-en une à la fois. Fais également une liste de toutes tes culpabilités ressenties depuis trois jours. Cela t'aidera à devenir plus conscient. Mentionne sur cette liste si tu étais vraiment coupable ou si tu te sentais coupable sans l'être. Aussi remarque tes accidents et tente de trouver la culpabilité.

Voici une affirmation fréquemment utilisée au Centre Écoute Ton Corps. Cette affirmation est à répéter sans arrêt pour venir à bout de ne plus écouter cette voix dans la tête (CANTA) et de cesser de donner toute cette énergie à l'élémental créé. Quel que soit le moment où tu ressens une inquiétude, un doute, un tourment, fais cette affirmation:

> **JE SUIS LE SEUL MAITRE DE MA VIE ET TOUTE CONSCIENCE AUTRE QUE LA MIENNE EN MOI EST CHASSÉE ET RELACHÉE IMMÉDIATEMENT.**

Plus cette affirmation est dite avec énergie (plutôt que seulement en pensée) plus elle agit vite.

Il est mentionné dans cette affirmation d'une *"autre conscience"*. Cette conscience est justement cette petite voix qui entre dans ta tête pour créer un élémental autour de toi afin de te tourmenter. Mais en cessant de l'écouter, il se découragera, ira ailleurs ou mourra tout simplement, faute d'être alimenté.

Je conseille fortement à la personne qui vit des peurs chroniques et des phobies de faire cette affirmation des centaines et des milliers de fois par jour, s'il le faut. Éventuellement après quelques semaines le combat sera de plus en plus facile. Tu peux vaincre tes peurs et tes culpabilités.

CHAPITRE 20
LES BESOINS DU CORPS ÉMOTIONNEL

Une bonne santé émotive implique les sept besoins primordiaux énumérés ci-dessous (par ordre d'importance). Plus tu donnes de cette nourriture à ton corps émotionnel, plus tu te diriges vers une maîtrise complète de tes émotions.

Le besoin premier : *la beauté.*

Surprenant, n'est-ce pas? La beauté importe beaucoup pour l'être humain. Il apprécie hautement être entouré de beauté. Les gens malheureux ou atteints de sérieuses maladies sont de ceux qui ne peuvent retracer aucune beauté autour d'eux et en eux. Ils ne savent pas regarder les belles choses. Une personne entourée de laideur, vivant dans une maison de béton, dépourvue de nature autour d'elle, négligeant sa tenue vestimentaire et ne voyant rien de beau dans son aspect physique aura de fortes tendances suicidaires.

L'être humain doit voir la beauté par ses yeux intérieurs et extérieurs. Il est extrêmement difficile de voir la beauté par l'intérieur si elle n'est pas apparente extérieurement.

Lorsque tu te promènes dans la nature, certaines choses te vont droit au coeur simplement à les regarder. Ce peut être la beauté d'un arbre ou d'un coucher de soleil. "Qu'est-ce que cela peut bien m'apporter", me demanderas-tu. Ça remplit ton corps émotif. Tu éprouves un sentiment de bonheur très profond. C'est très important même si on a tendance à associer beauté à sentimentalité.

Chaque instant de ta vie, chaque circonstance t'offre l'opportunité de t'entourer de beauté. Profites-en. Chaque action, si petite soit-elle, est un pas de plus vers ta maîtrise. Je te conseille de commencer d'abord par toi-même, par tout ce qui te touche (vêtements, nourriture...). Choisis ce qu'il y a de plus beau et de meilleur.

Accorde plus d'importance à la qualité plutôt qu'à la quantité. Tout ce qui touche ta peau est important. La qualité du tissu provoque un phénomène au niveau des émotions. Plus le tissu est naturel plus tu fais plaisir à ton corps car tu lui permets de respirer à travers lui. Tu le constateras par le choix de tes vêtements.

Que tu regardes une maison, l'intérieur d'un appartement, une personne ou la nature, c'est la beauté que tu dois observer. Ne tente pas de trouver la petite tache noire. Accepte les compliments plutôt que d'essayer d'éliminer ce que tu n'aimes pas de toi. Accepte que la beauté est toujours beaucoup plus grande partout autour de toi.

Si tu as des problèmes respiratoires ou des problèmes de coeur, si tu as l'impression d'étouffer, il est fort possible que tu ne puisses voir la beauté en toi et autour de toi.

Le deuxième besoin : *la créativité.*

La création est l'expression de ton individualité. Ne pas créer c'est détruire ou imiter les autres. La créativité est un besoin primordial. Quand tu ne l'exploites pas, tu affectes ta vie émotionnelle. Un travail monotone doit être compensé par une activité créative. Toute personne sur la terre peut créer même les gens handicapés. La créativité fait partie de l'être humain.

Il n'est même pas nécessaire d'inventer quelconque fabrication... La créativité peut s'exprimer par un arrangement floral, la confection d'un vêtement, la préparation d'un nouveau mets à partir de restes, le bricolage ou les réparations d'une maison, et ce, en y mettant ton style personnel. Tu peux créer dans tous les domaines. Tu possèdes un talent particulier pour quelque chose. Remonte à tes aptitudes d'enfant. Étais-tu bon en dessin ? Tu pourrais explorer ce côté en faisant des toiles. Tu peux même choisir d'écrire. Si ce n'est pas pour une maison d'édition, tu peux le faire pour toi-même ou pour le simple plaisir d'écrire. J'ai rencontré des centaines de personnes dans ma vie qui ont toujours rêvé d'écrire un livre ; elles y rêvent encore car justement tout est resté au niveau du rêve...

En utilisant tes talents à toi, en faisant quelque chose qui vient de toi, tu donnes vie à ta créativité. Tu n'es pas une copie de quelqu'un d'autre.

Certaines personnes utilisent leur créativité dans leur travail de tous les jours. Il est alors normal pour ces gens de mener une vie plus passive en dehors de leur ouvrage.

Créer veut également dire créer ta vie, prendre des décisions dans ta vie.

Le manque de créativité affecte les organes génitaux ou tout ce qui concerne la région de la gorge.

Le troisième besoin : *la confiance.*

Que veut dire *"avoir confiance en soi"*? Les réponses sont multiples. Plusieurs personnes mélangent la confiance avec le courage, la persévérance, avoir du front...

La confiance en soi n'est pas de foncer ou de combattre tes peurs ; ça c'est du courage.

> **La confiance en soi, c'est la capacité de se confier, de s'exprimer, de se révéler à une autre personne sans avoir peur de se faire juger.**

Plus tu apprends à te confier, à te révéler aux autres, et ce sans choisir, plus tu développeras ta confiance en toi. Tu attires ainsi la confiance des autres.

Imagine qu'une amie te confie toutes ses pensées secrètes et s'ouvre à toi complètement. N'as-tu pas le goût de t'ouvrir toi aussi à cette personne? La même situation peut se présenter entre employés et patrons. Un employé capable de se révéler, d'exprimer ses émotions et de dire exactement ce qu'il vit, au moment où il le vit, gagnera davantage la confiance de son patron.

La majorité des gens choisissent quelqu'un à qui ils veulent se révéler. Le travail, les problèmes personnels, la vie affective et les problèmes sexuels sont confiés à une catégorie de personnes différentes et bien déterminées.

La confiance en toi te permettra de te révéler à n'importe qui. Encore faut-il avoir un juste milieu ! Je ne veux pas t'inciter à raconter ta vie à tout le monde sur ton passage. Cependant si tu as une envie soudaine et spontanée de te confier à quelqu'un, sans même le connaître vraiment, fais-le. Ta peur de te dévoiler, de te faire juger, se dissipera graduellement. Tu ne t'attarderas plus à ce que ton interlocuteur pourrait penser de toi.

La confiance en soi c'est choisi. Ce n'est pas inné ni héréditaire. C'est toi qui décides d'avoir confiance en toi par tes tentatives personnelles et quotidiennes et par ta volonté d'apprendre à te révéler. Le manque de confiance en soi engendre automatiquement le manque de confiance aux autres.

Les problèmes d'élimination rénale ou intestinale sont souvent les symptômes physiques d'un manque de confiance.

Le quatrième besoin: *l'appartenance*.

L'être humain doit sentir qu'il appartient à quelque part, à un groupe. On le voit souvent d'ailleurs, dès son jeune âge, s'entourer d'un cercle d'amis. L'enfant retiré, sans lien d'appartenance, est misérable. Beaucoup d'adultes souffrent de solitude à cause de ce manque d'appartenance.

L'appartenance vient de l'intérieur de toi. C'est toi seul qui décides d'appartenir à quoi que ce soit, à n'importe quel moment et avec n'importe qui. As-tu tendance à fréquenter le même restaurant, le même groupe d'amis ou le même lieu de vacances? C'est signe que présentement tu manques d'appartenance. Tu as probablement beaucoup de difficulté à t'adapter, à te sentir bien dans un endroit nouveau. Tu n'acceptes pas que la terre est pour tout le monde, que tu appartiens partout où tu le désires. Il n'y a aucun endroit qui ne soit pas fait pour toi. À tout instant c'est toi qui décides d'y appartenir.

Appartenir ne signifie pas de vouloir demeurer partout. Mais quel que soit l'endroit où tu es (que ce soit dans la richesse ou la pauvreté) dis-toi que tu as droit d'être là à cet instant. En acceptant cette notion, tu élimineras tout malaise ou toute sensation étrangère d'être en un lieu "inhabituel".

La personne qui manque d'appartenance souffre d'un vide intérieur et sera portée à remplir ce vide par de la nourriture ou de la boisson. Elle peut éprouver un problème de poids ou un problème au niveau du tube digestif.

Le cinquième besoin : *l'espoir.*

S'imaginer être pris sous terre dans une espèce de tunnel sans ouverture, être convaincu qu'il n'y a aucun espoir d'en sortir... vaudrait mieux mourir ! Mais s'imaginer qu'une petite lueur figure au loin, tout devient différent. Ce petit grain de lumière redonne vie et énergie à cet espoir. Le temps requis pour atteindre le bout du tunnel ne sera plus un obstacle.

Cela va de même pour l'être humain. Tu dois savoir que tu te diriges constamment vers plus de lumière. Il y a quelque chose de fantastique au bout de ton chemin ou de ta route.

Tu dois garder espoir que tout ira mieux. Ce que tu vis en ce moment ce sont des expériences. Elles sont là pour t'apprendre quelque chose sur toi. Et au fur et à mesure que tu apprendras, il y aura plus de lumière donc plus de chaleur et plus d'amour.

Les gens sans espoir sont souvent dépressifs ou souffrent de basse pression.

Le sixième besoin : *l'affection.*

Si tu manques d'affection, qui a oublié d'en semer ? En regardant autour de soi, il est facile de constater que l'être humain donne très souvent beaucoup plus d'affection aux animaux qu'il en donne aux humains.

Une amie m'a fait part que depuis la mort de son chien son mari, sa fille ainsi qu'elle-même se donnaient maintenant beaucoup plus d'affection. Elle ne s'était jamais rendu compte que depuis des années, l'affection était portée vers le chien, dès l'arrivée à la maison. On en était arrivé à négliger le reste de la famille.

C'est bien de donner de l'affection aux animaux mais on ne doit pas oublier les être humains pour autant ! Il est courant de voir une épouse ou un mari assis devant le téléviseur, occupé à flatter leur petit chien (ou petit chat) alors que le conjoint est laissé à lui-même... et doit se résigner à se flatter seul ! ! !

Le toucher physique n'est pas l'unique façon d'exprimer son affection. Une parole encourageante, une fleur de temps à autre, un petit mot d'amour ou un compliment relèvent également de l'affection. Ce que tu fais pour les autres, tu peux le faire pour toi car l'affection c'est aussi pour toi. Ne t'oublie pas !

Sur la terre l'énergie est la base de tout. Alors pour obtenir quelque chose tu dois y mettre de ton énergie. Plus tu fais circuler l'énergie d'affection plus tu en feras arriver dans ta vie. Il est prouvé qu'un bébé ne recevant que les besoins primordiaux (bouteille, changement de couche, etc.) sans la moindre trace d'affection de ses parents, se laissera mourir tellement ce besoin est important.

Affection veut aussi dire *"affecter quelqu'un d'autre"*. C'est pourquoi tant de personnes font des pieds et des mains pour attirer l'attention des gens. On offre des cadeaux, des tas de choses, on dit "oui" alors qu'on voudrait dire "non"... Tout ça pour de l'attention. L'être humain a besoin de sentir qu'il affecte quelqu'un d'autre, qu'il a une affection envers quelqu'un d'autre.

Si tu décidais de n'affecter la vie de personne parce que tu te crois sans importance, tu commences dès lors à te retirer, à freiner tes élans d'affection. On fera de même autour de toi. Il n'est pas harmonieux de te laisser affecter par ton environnement alors que toi, tu ne l'affectes pas. Cela déséquilibre l'échange d'énergie.

Voilà l'explication de plusieurs allergies. Si ton manque d'affection s'amplifie, tu éprouves les mêmes problèmes que le manque d'appartenance (nourriture ou boisson).

Le septième besoin : *le but.*

Il est primordial d'avoir un ou plusieurs buts dans sa vie. Si je te disais : "Je te donne une minute pour me dire quels sont tes buts à court terme (six mois), à moyen terme (cinq ans) et à long terme (vingt ans)", que me répondrais-tu? Parviendrais-tu à me nommer trois buts dans chacun de ces laps de temps? Ce serait difficile, n'est-ce pas? Spécialement s'ils sont inexistants !...

Il est très important d'avoir un but précis. Par le fait même, ton goût de vivre s'accentue. N'hésite pas à avoir des grands buts ! *Il est mieux de manquer un grand but par peu que d'atteindre un petit but !*

De plus les buts ça se change. Exemple : tu as décidé de vouloir parler anglais dans six mois. Au bout d'un mois, c'est l'espagnol qui prend le dessus. Le changement est sans gravité, en autant que tu aies un but et que tu y travailles quotidiennement.

Assure-toi de bien différencier désir et but. Quand tu me confies que tu veux posséder ta propre maison l'an prochain, c'est un désir. Il devient un but au moment où tu fais une quelconque action afin de l'acquérir. Ton désir prend la forme de but lorsque tu te mets à découper des annonces, visiter des maisons, mettre de l'argent de côté, faire tes plans d'exécution et commencer à tout décorer dans ta tête. En mettant de l'énergie à réaliser ton désir celui-ci deviendra un but.

Si je te disais de mettre 5$ en banque à toutes les semaines pour un projet d'envergure comme celui d'avoir une maison, tu trouverais cela bien ridicule: ''Qui donc peut se procurer une maison en ne disposant que de 5$ par semaine? Cela prendrait bien cinquante ans avant de l'obtenir!'' Ce n'est pas ce qui est important. Tu dois avant tout visualiser et croire en ce que tu veux et faire quelque chose à chaque semaine envers ton but.

Des centaines de personnes vivent seules. Elles aimeraient rencontrer quelqu'un de compatible avec elles mais aucune action n'est faite pour y arriver. Tout reste au niveau du rêve. Elles s'écrasent devant la télévision dès leur retour du travail! Il est bien compliqué de rencontrer quelqu'un ainsi... Hors de tout doute une action est nécessaire comme entreprendre de parler à quelqu'un de nouveau à tous les jours...

Un rêve devient réalité si tu en fais un but. Tu verras: avoir un but te redonnera le goût de vivre. Tu te lèveras le matin plein d'entrain car tu vivras pour quelque chose. Par contre ne sois pas trop rigide envers toi-même. Se fixer un but bien précis dans un temps nettement déterminé et le révéler à tous c'est bien. Mais ne pas changer c'est-à-dire poursuivre un but que l'on ne veut plus vraiment, de peur de ce que les autres vont dire, ne sera pas bénéfique pour toi.

Lorsque tu veux faire de ton désir ton but, consulte ta superconscience pour déterminer si ce but t'est vraiment bénéfique. Elle te le signalera à sa façon.

Si tu n'as aucun but dans la vie, tu manqueras souvent d'énergie. Tu perdras le goût de faire quoi que ce soit. Les jambes, les bras, les yeux, les oreilles, le nez en sont souvent affectés.

Avant de passer au chapitre suivant (chapitre de la spiritualité), prends une feuille et écris la liste des besoins de ton corps émotionnel. Par la suite, fais un examen afin de savoir lequel de ces besoins a été négligé. De quelle nourriture te prives-tu?

Ainsi, il te sera plus facile de comprendre pourquoi tu as tant d'émotions dans ta vie. Plus tu donnes la bonne nourriture à ton corps émotionnel, plus il est facile de maîtriser tes émotions.

L'affirmation à faire:

> **JE SUIS MAINTENANT DÉCIDÉ À RESPECTER LES BESOINS DE MON CORPS ÉMOTIONNEL ET JE RETROUVE AINSI LA SANTÉ ÉMOTIONNELLE.**

5ième PARTIE:

LA
SPIRITUALITÉ

CHAPITRE 21
LA SPIRITUALITÉ / LA MÉDITATION

La plus belle définition de la spiritualité que je puisse t'offrir est la suivante: un être vraiment spirituel accepte que tout ce qu'il voit chez l'autre est le miroir de lui-même. Cette façon de voir n'est ni bonne ni mauvaise. C'est tout simplement un *bienfait* accordé à l'être devenu plus conscient. C'est un moyen extraordinaire pour apprendre à se connaître davantage et pour repérer tout ce qu'on accepte ou n'accepte pas de voir en soi. Un être spirituel accepte les choses telles qu'elles sont, même si parfois il est en désaccord et il s'accepte tel qu'il est dans sa *façon d'être*. C'est tout un monde d'amour qui s'ouvre à lui.

J'ai parlé dans ce livre d'avoir la *FOI* de *s'aimer* et de *s'accepter*, d'aimer et d'accepter les autres et de développer la notion de responsabilité. Toutes ces phrases ne signifient qu'une seule chose: voir et entendre *DIEU partout*. Imagine si tous les êtres de la terre agissaient ainsi, ce serait merveilleux de vivre en ce bas monde.

La moindre critique ou le moindre jugement envers quelqu'un d'autre sous-entend ceci: *JE SUIS DIEU, ET L'AUTRE NE L'EST PAS*. La vraie spiritualité s'exprime bien autrement: *JE SUIS DIEU COMME LE SONT TOUS LES AUTRES HUMAINS. NOUS SOMMES TOUS DES EXPRESSIONS DE DIEU*. On ne sait tout simplement pas comment exprimer *DIEU* dans son entier.

On peut comparer cette notion à la neuvième symphonie de Beethoven. Cette oeuvre musicale est l'expression de la pensée de Beethoven. Elle est parfaite. Mais lorsqu'un jeune pianiste ou un débutant en ce domaine fait quelques erreurs en interprétant cette pièce, cela affectera-t-il la perfection de la symphonie? Non. Le jeune adepte joue au meilleur de sa connaissance. Il s'améliorera par la pratique et pourra, un jour, exprimer la symphonie dans toute sa perfection. C'est exactement ce qui se passe sur la terre. Nous apprenons à exprimer notre *DIEU* intérieur qui est la perfection et ce, à notre façon, à notre vitesse et à notre rythme.

On peut également comparer la venue de chaque être humain sur la terre à un casse-tête. Imagine quelques instants que, dès la conception de notre être, de notre entité, de notre âme, nous avions tous un casse-tête identique à résoudre. Mais comme chaque personne est différente, chacun procède à sa façon soit en y allant rapidement, plus lentement, en commençant par un côté en particulier, en faisant d'abord le tour ou en se concentrant sur les couleurs du centre. C'est ainsi que nous agissons sur la terre; nous sommes tous à bâtir le même casse-tête mais chacun à notre façon.

Personne n'a le droit de juger ce que l'autre fait. Quand tu ne comprends pas ou que tu n'es pas d'accord avec la façon d'être ou d'agir d'une autre personne, c'est tout simplement que vous n'êtes pas à la même partie du casse-tête. Qui te dit que cette personne n'est pas plus avancée que toi dans son casse-tête? Personne n'a le droit de juger ou de critiquer car personne n'a le droit de juger ou de critiquer *DIEU*.

En utilisant la philosophie du miroir qui dit qu'en regardant une autre personne, on y voit tout ce qui nous appartient, autrement dit, on voit *ses qualités ou ses défauts* qui sont nôtres, et si on les accepte oui ou non. Tout ce que tu y vois te représente; tel le reflet d'un miroir...

Lorsque la façon d'agir d'une personne te dérange, c'est qu'il y a une partie de toi identique à la sienne qui te dérange et que tu n'acceptes pas de toi-même. Ce que tu acceptes ne te dérange pas... Quand tu es en réaction à la façon d'être, de parler ou d'agir d'une autre personne, tu vis beaucoup d'émotions. L'attitude de cette personne te dérange, car elle reflète ce que tu ne te permets pas de faire. Tu refuses d'accepter d'être de cette façon. Tu interdis à cette partie à l'intérieur de toi de se laisser aller ainsi, car tu as décidé à un moment donné de ta vie que cette façon d'être était tout à fait inacceptable. À partir de ce fait, on n'est jamais soi-même parce qu'on est en réaction à une autre personne.

Alors, au lieu de juger qu'une façon d'être est bien ou mal, accepte le fait que tu peux être comme cette autre personne et demande-toi bien ce qu'il t'en coûterait d'être ainsi. Si le prix à payer est minime, qu'as-tu à gagner à rechercher à être autrement?

Tel un miroir, quand tu vois la beauté chez l'autre ou que tu admires une personne, deviens conscient et accepte que cette beauté-là t'appartient aussi ; il ne te reste qu'à décider de l'exprimer.

Les humains sont tellement préoccupés par les affaires des autres et par l'évolution des autres qu'ils négligent de faire leur propre ménage. Nous sommes tous ici sur la terre pour notre propre évolution ; c'est-à-dire apprendre à aimer et aimer à être heureux. Si chaque entité parvient à vivre de ce grand bonheur, la terre entière sera heureuse. Il est tellement plus facile de s'occuper de soi que de tenter de diriger la vie de tout le monde.

Quand une personne te demande de l'aide, il est alors important de le faire au meilleur de ta connaissance. C'est ce qu'on appelle de la charité humaine. Nous sommes tous ici sur terre pour grandir ensemble. Assure-toi cependant que c'est l'autre qui fait les premiers pas. Lorsque l'intention d'aider vient de toi et que tu désires réellement faire quelque chose pour cette personne, demande-lui la permission. Exemple : "J'ai quelque chose d'important à te dire qui, je crois sincèrement peut t'aider dans le moment. Est-ce que tu me permets de te le dire, de te donner mon opinion?" Tu sauras à ce moment- là, selon sa réponse, s'il est bénéfique ou non pour toi de lui venir en aide. Autrement si tu te forces à aider quelqu'un qui ne veut pas modifier son comportement, tu dépenses de l'énergie inutilement et ton geste n'est surtout pas apprécié en plus !

En apprenant à voir *DIEU* partout autour de toi, en toi, dans tous les êtres, les animaux, la nature, ta vie devient complètement différente. Tu as l'impression d'être constamment entouré de soleil.

Tout ce qui existe sur la terre et dans le cosmos en entier est l'expression de *DIEU*. *DIEU* seul peut s'exprimer de façon différente sur chaque planète. Sur la planète *TERRE* ce ne sont que les humains qui interprètent mal le **DIEU** véritable. Regarde autour de toi. Les étoiles, les océans, les planètes, les animaux sauvages, ils sont toujours nourris et ne manquent jamais de rien. Ils vont selon les grandes lois naturelles. Ce ne sont que les humains ou ce qui est touché par les humains qui ont des problèmes et des maladies.

Être heureux, être spirituel veut dire *"vivre le moment présent"*. De nos jours les êtres humains ont beaucoup de difficulté à vivre le moment présent. L'évolution est tellement rapide sur la terre que certaines personnes s'accrochent à leur passé en se disant : "C'était donc merveilleux quand on était plus jeune, tout semblait plus facile". À rester ainsi accroché au passé, on ne vit pas le moment présent.

On peut comparer une personne qui regrette son passé ou qui croit avoir fait trop d'erreurs, à une personne qui monte l'escalier en empilant chaque marche sur ses épaules à mesure qu'elle monte. Ça finit par être terriblement lourd... Es-tu une personne accrochée au passé? Regarde ce que tu accumules chez toi. Ta garde-robe, tes tiroirs, ton sous-sol et ton garage, représentent-ils le passé? Hésites-tu à te séparer de choses que tu n'utilises plus ou que tu veux garder en souvenir? C'est une indication que tu t'accroches encore au passé.

Maintenant que tu es à faire ton ménage intérieur, il serait bon de faire ton ménage extérieur en même temps. Nettoie les endroits de ta maison où des tas de choses du passé y traînent depuis trop longtemps, tout ce que tu n'as pas utilisé depuis un an. L'énergie qui ne bouge pas est de l'énergie mal utilisée. Plus tu bouges d'énergie, plus tu en fais arriver. Plus tu fais de ménage chez toi, plus tu fais de place pour de nouvelles choses. C'est la loi du vide.

Alors que certaines gens demeurent attachées au passé, d'autres ne pensent qu'au futur. Soit qu'ils s'en inquiètent ou qu'ils s'attardent d'y arriver, car le grand bonheur les attend... : "Lorsque je me marierai, ma vie sera mieux... Quand j'aurai une maison... quand j'aurai un enfant...". On est loin de vivre le moment présent! Planifier des choses pour le futur, c'est bien, mais tu ne dois pas retarder ton bonheur jusqu'à l'arrivée de ces choses.

Être spirituel, c'est penser *"être, faire et avoir"*, plutôt que *"avoir, faire et être"*. La personne qui pense "Si je gagnais beaucoup d'argent, je me partirais un commerce et je serais heureux" égale: *avoir, faire et être*. Cette personne, pour aller selon les lois naturelles, doit penser: "Pour *être* heureux, je veux un commerce, alors je m'arrange pour me le procurer et ensuite, l'*"avoir"* suivra.

L'ère de la spiritualité, l'ère du renouveau ne fait que commencer. Elle est axée sur le *"être"* et non sur le *"avoir"*. Tous ceux qui persistent à penser que *"avoir"* importe plus que *"être"* atteindront difficilement le bonheur aujourd'hui et dans les années à venir. Cela ne signifie pas que tu doives te débarrasser de tout ce que tu possèdes. Non. *DIEU* a créé de belles choses. Elles appartiennent à tous. Tout le monde y a droit. Cependant, les choses ou le *"avoir"* ne doivent pas décider pour toi.

Il est inutile de s'inquiéter de l'avenir ou du futur lorsque dans le moment présent tout va bien. Tu sais que l'on devient ce que l'on pense. Alors aujourd'hui tout va pour le mieux car ton loyer est payé, tu as de la nourriture, tu es en santé et tu as tout ce qu'il te faut. Bravo! c'est ce qui est important. Tu n'as pas à t'inquiéter pour les mois à venir ou même les années à venir. Ça ne t'empêche pas de planifier certaines parties de ton avenir, avoir des buts; cependant, le tout doit être fait avec la confiance que ça arrivera sans inquiétudes.

Ton *DIEU* intérieur sait exactement ce dont tu as besoin. Lorsqu'il t'arrive des choses désagréables, ce n'est pas ce que tu désires mais ce dont tu as besoin. C'est la façon qu'a ton *DIEU* intérieur, ta superconscience, de te faire voir que quelque chose dans tes paroles, gestes ou pensées en ce moment de ta vie, est contraire aux lois de l'amour. On tente de cette façon de t'en rendre conscient. Quand tout ce que tu dis, fais ou penses est en harmonie avec les lois de l'amour, tu n'as pas besoin de message et il ne peut que t'arriver de belles choses.

Pour t'aider à entendre cette voix intérieure de la superconscience, ou de ton *DIEU* intérieur, je te suggère de faire de la *méditation*.

Elle est indispensable pour ton évolution. Plus tu apprends à aller à l'intérieur de toi, à t'aimer et à t'accepter, plus tu as le goût d'écouter cette petite voix intérieure. Il est fortement recommandé de méditer à tous les jours.

Une méditation n'est pas une détente. Ça consiste à prendre le temps de t'arrêter quelques minutes par jour pour cesser de penser. Le meilleur temps pour méditer est tôt le matin et avant les repas. S'il t'est impossible de méditer le matin, tu peux le faire avant le repas du midi ou du soir. Il n'est toutefois pas recommandé de méditer après le repas du soir. De préférence choisis un même endroit disponible à tous les jours et où tu peux facilement t'isoler. Si possible, fais ton choix en un lieu où la fenêtre donne vers l'est, le soleil levant du matin.

Tu peux méditer de vingt à trente minutes par jour. Une méditation ne se fait jamais couchée ni la tête appuyée. Tu t'asseois avec le dos le plus droit possible pour permettre à l'énergie de monter du bas du dos jusqu'à la tête. Une méditation se fait avec ou sans musique. Il est bon de dire mentalement une phrase ou un mot spirituel pour tenir le conscient occupé ; c'est ce qu'on appelle un **MANTRA**. Essaie de trouver un mot ou une phrase qui n'apportera aucune image à ta conscience comme par exemple : paix, amour, harmonie. Le *mantra* recommandé par Écoute ton Corps est : *"JE SUIS DIEU, DIEU JE SUIS*. Plus tu répètes cette phrase, plus tu aides ton subconscient à trouver les moyens pour l'exprimer.

Il est possible que tu éprouves certaines difficultés au début. L'être humain n'a pas l'habitude de s'arrêter de penser. Mais ne perds pas patience. Ce qui compte avant tout c'est ta persévérance et non la réussite de ta méditation. C'est tout comme s'adonner à des exercices physiques. Au début, les courbatures sont nombreuses et on n'y voit que maladresse dans les mouvements. En persévérant on acquiert plus de facilité. C'est exactement la même chose pour la méditation. Après un certain temps, que ce soit jours, semaines ou mois, selon la discipline de ta pensée, tu prendras goût à la méditation. Elle te manquera lorsque tu ne la feras pas.

En méditant, tu éteins la voix de la tête pour entendre celle de ta superconscience. Tu auras des réponses à tes problèmes ou à tes questions intérieures, pas nécessairement durant la méditation, mais dans les heures ou les jours qui suivent. Si tu sens une douleur ou un malaise à différents endroits de ton corps, ne t'inquiète pas, c'est tout simplement un stress de longue date qui refait surface et qui te quitte. C'est très bénéfique pour toi. Remercie ton corps d'avoir délogé cette douleur.

Pour terminer ce chapitre, fais une liste de tout ce qui te dérange chez les autres et regarde ce qui t'appartient. Tu seras surpris de tes découvertes. Quand tu auras trouvé ce que tu n'acceptes pas de toi-même, donne-toi le droit d'être ainsi. Pose-toi comme question : "Qu'est-ce que ça me coûte d'être ainsi?"

Fais une seconde liste de tout ce que tu admires chez les autres. Tout comme ce qui te dérange, ce que tu admires t'appartient aussi. Ça t'appartient mais tu n'acceptes pas toujours que toi aussi tu puisses être bon et fantastique tout comme cette autre personne que tu admires. Donne-toi le droit d'être ainsi, accepte que tu peux avoir autant de talent et que tu peux te sentir aussi bien que cette personne. Donne-toi le temps de te découvrir vraiment.

TU ES UNE MANIFESTATION DE *DIEU*. IL N'Y À RIEN D'AUTRE QUI EXISTE PARTOUT DANS CE MONDE ET DANS TOUS LES AUTRES MONDES.

L'affirmation à faire pour finir ce livre est la même qu'au premier chapitre. Y a-t-il une différence entre ce que tu ressens maintenant et ce que tu as ressenti lors de ta première affirmation? N'oublie pas que l'être humain crée son propre bonheur, selon ce qu'il pense de lui-même.

CONCLUSION

Tu es ici sur la terre pour une seule raison : celle d'évoluer, c'est-à-dire aider ton âme à se purifier et grandir. Grandir égale *s'aimer et aimer les autres*.

Nous, les humains, avons la tête dure et par conséquent nous avons de la difficulté à aimer complètement, inconditionnellement et impersonnellement. Nous devons revenir plusieurs fois dans un corps différent pour apprendre à aimer dans des conditions différentes à chaque fois.

La terre est une grande école d'amour. C'est un privilège que d'être vivant. Voilà pourquoi tu dois utiliser chaque moment de ta vie pour aimer de plus en plus. Tu t'évites de revenir plusieurs fois en faisant plus à chaque vie.

C'est comparable à une école ordinaire : si à chaque année tu t'amuses et tu ne veux rien apprendre, tu devras rester plusieurs années dans la même classe.

La meilleure explication pour comprendre ce qui se passe *"entre deux vies"* se compare aux deux mois de repos entre chaque année scolaire. Tout à coup, tu as le goût de revenir à l'école car tu en vois d'autres qui en savent plus et tu as hâte d'en apprendre encore plus.

Cependant plusieurs oublient, une fois revenus à l'école, leur bonne résolution, celle de bien étudier. C'est ce qui se produit souvent pour plusieurs personnes au cours de leur vie terrestre.

Par contre, il y en a d'autres qui veulent tellement, et le prouvent par des bonnes actions, qu'ils font plusieurs années en une seule. Par conséquent leurs études finissent plus tôt que les autres et ils connaissent beaucoup plus vite un grand bonheur intérieur.

Et toi, quelle sorte d'étudiant es-tu?

Il n'en tient qu'à toi de te décider.

Ce qui est le plus agréable, c'est que c'est vraiment facile. Tout ce que tu as à faire, ce sont des actes d'amour, c'est-à-dire voir *DIEU* partout, en toi, et autour de toi. Accepter chaque personne telle qu'elle est dans le moment présent. Ainsi le reste se fait seul : tes peurs et toutes émotions inutiles disparaissent, tu maîtrises ton orgueil, tes maladies te quittent et tes relations affectives s'améliorent nettement. Enfin, c'est l'abondance dans tout : soit au niveau matériel ou au niveau spirituel! *QUOI D'AUTRE A PLUS D'IMPORTANCE?*

Plus tu exprimes ce *DIEU* intérieur en t'aimant et en aimant les autres, plus ton soleil intérieur se développe et rayonne autour de toi. Tu es ainsi une source de lumière et de chaleur au service de tous ceux qui ont la chance d'être près de toi ou dans tes pensées.

Je te souhaite de tout coeur de devenir ce beau soleil et de connaître enfin ce grand bonheur que tu mérites tant.

AVEC AMOUR

Lise Bourbeau

Lise Bourbeau

ANNEXE I

Le Centre de croissance
Écoute Ton Corps
(Fondé en 1982 par Mme Lise Bourbeau)

Comme tu as constaté, ce livre fait référence à certaines habitudes qui sont non bénéfiques.

Nous offrons des cours de groupes, dans différentes régions du Québec, pour te permettre de mieux intégrer cette approche qui est peut-être nouvelle pour toi. Des animateurs compétents et dynamiques enseignent cette philosophie de vie qui peut t'aider à devenir de plus en plus consciente de ce que tu peux créer dans ta vie.

Si tu désires poursuivre ton cheminement dans la découverte de ton moi intérieur, nous sommes là.

Nous t'invitons à venir assister
Gratuitement
à un cours d'une durée de 3 heures.

pour information
(514) 382-7361
sans frais d'interurbain
1-800-361-3834

Pour le grand public: Écoute Ton Corps organise des conférences mensuelles où Lise Bourbeau traite de sujets brûlants d'actualité.

Pour les organismes et associations: Lise Bourbeau est une conférencière chevronnée qui saura vous entretenir sur une variété de sujets pouvant intéresser vos membres.
INFORMEZ-VOUS!

CENTRE DE SANTÉ
STE-AGATHE-DES-MONTS

Le Centre de Santé Écoute ton corps à Sainte-Agathe-des-Monts, Québec, a ouvert ses portes en février 1987 sur le site d'un ancien manoir datant de 1917 et encadré d'une nature enchanteresse.

Ce centre a pour but principal d'aider les gens à élever leur degré de conscience en prenant contact avec leur réalité physique, mentale et émotionnelle. Un endroit idéal pour se défaire de ses barrières, masques et stress inutiles.

Grâce à ce séjour, retiré du quotidien, le/la résidant/e en profite pour faire un grand nettoyage de l'âme; ainsi le corps physique et le corps d'énergie sont revitalisés.

Chacun des résidants reçoit une attention personnelle à tous les jours.

Un endroit idéal pour vivre une vie de château dans la nature tout en prenant contact avec son être et sa spiritualité.

Pour plus d'informations au sujet du forfait de une ou deux semaines, vous êtes prié d'appeler à Ste-Agathe (819) 326-7804 ou à Montréal (514) 382-7361 ou venez visiter le site, le dimanche entre 13:00 et 15:00.

Centre de santé
ÉCOUTE TON CORPS
Chemin Du Lac Des Sables, C.P. 335, Ste-Agathe-Des-Monts
Québec J8C 2Z7   Tél.: (819) 326-7804

QUI ES-TU?

En raison de la grande popularité de son premier livre et à la demande générale de ses lecteurs, **LISE BOURBEAU** a décidé d'y donner suite.

Le lecteur désireux de se découvrir puisera des trésors d'information dans ce livre.

Grâce à des exemples pratiques tirés de la vie courante, il sera émerveillé de se reconnaître à travers ce qu'il **dit**, **pense**, **voit**, **entend** ou **ressent**. Même l'observation des vêtements qu'il porte et du lieu où il réside le renseigneront sur lui-même.

De plus, ce livre décrit en détail la **signification des formes du corps**. Plus de **250 malaises et maladies** sont aussi expliqués dans leur sens métaphysique, aidant ainsi à en découvrir les causes profondes. Les résultats visés sont l'auto-guérison, l'amélioration de la qualité des communications interpersonnelles et un mieux-être général.

CE LIVRE SE VEUT UN LIVRE DE RÉFÉRENCES
QUI NE CESSERA D'ÊTRE
UN COMPAGNON DE TOUT INSTANT.

En vente chez votre libraire
ou au Éditions E.T.C. inc,
9675 ave. Papineau, suite 380
H2B 1Z5